その世界の猫隅に

tamaki saito
斎藤環

青土社

目次

まえがき　9

I　現代文学

石原慎太郎と私　15
潜在する「路地」のトポス　26
豊穣なる「ヤンキー文学」　30
入れ子問題、あるいは新しい「ことばの社会」　57
彼女と異性愛主義の闘いにおいては「発達障害」に支援せよ　73
二人であることの病い？　81
「純粋物語」の誘惑　89

II　映像・アニメ・音楽

「世界観のモンタージュ」としてのキャラクター　107
すべては「すずさんの存在」に奉仕する　115
外傷の器としての…　134
大きな幻想の力　146
欲望の倫理、またはセクシュアリティ　152
飲み干せ、そのミルクシェイクを　165
Aフラットの不在　176
「音楽の無意識」へ　179

Ⅲ　アートシーン

身体観光冒険課　191
ジェンダーとアートの新しい回路　206
キャラと鎮魂　221
技法は「少女身体」に奉仕する　229
ネオプラトニズムの小さな神々　237
「神の身体」としての少女　250
パラノイアに憧れる神経症者(ナルシスト)　263
「英雄」と「人間」のあいだ　270

Ⅳ　生活／文化

ポリフォニーを〝聞き流す〟　279

ＡＩが決して人間を超えられない理由　290

「生きてそこにいること」の価値　298

欠如ゆえの愛　306

あとがき　319

初出一覧　323

その世界の猫隅に

まえがき

　それにしても、なんという不可解なタイトルか。これほどわけのわからないタイトルを自著に付けたのは、同じく青土社から出した『文脈病』（一九九八年）や『フレーム憑き』（二〇〇四年）以来のことではないか。しかしタイトルは、無意味なほどよいのだ。そこに無意味な必然性が生まれるのだから。

　このタイトルにしても、あれやこれやと考えあぐねて、いっそもう「猫と慎太郎」にしようかなどと考えはじめた矢先に〈降って〉きたのである。「猫隅（ねこすみ）」という言霊が。もちろん元ネタとしては、わが映像文化体験史上の最高傑作であり、その批評を本書にも収載した映画『この世界の片隅に』があることは自明であろう。つまりこのタイトルはパロディの類とも解釈できる。しかし、そうだとしても謎は残る。そう、「猫隅」とはなにか、という謎が。

さて、猫といえば本書にも頻出するわが愛猫チャンギについて語らねばならない。一一歳になったチャンギは、現在、病気療養中である。シニア猫につきものの腎疾患だ。

二〇一九年の正月、シンガポール旅行から帰宅してみたら、自動給餌器に餌が溢れていて、チャンギは部屋の片隅でうずくまっていた。持ち上げてみたらあまりの軽さに驚いた。いまでもその時の自分をグーパンチで殴りたい思いに駆られるのだが、あろうことか私は旅行中の寂しさによる心因性の食思（しょくし）不振と判断して、腎疾患の可能性にまで思い至らなかった。

それでも翌日、もよりの動物病院に連れて行って検査したところ、BUNとクレアチニン値が異常高値で、なんと腎臓の九割がダメージを受けているとのこと。すぐ入院となり、狭いケージで点滴を受ける日々が一〇日間ほど続いたのだった。幸い経過は順調で、腎機能が回復するや餌もよく食べ体重も回復し、あれほど人見知りだったのに点滴処置をする看護師さんによじ登るくらい元気になっていった。

退院後はほぼ元通り、家中を走り回ってはいるが、毎日の投薬と一日おきの点滴が欠かせない状態が続いている。おそらく、私が持てる楽観性を限界まで振り絞っても、彼女の命はもってあと数年だろう。そんな悲しい予測はしたくないのだが、時折ペットロスの先取りめいた沈鬱な気分に襲われることはしかたがない。そんな同居人の不安を知ってか知らずか、無心に「今」を遊ぶチャンギがいよいよ愛おしい。

本書のタイトルにある「猫隅」という言葉は、チャンギがかならず「自分自身の片隅」を見つける習性から発案されたものだ。猫と暮らしている人間ならみんな覚えがあると思うが、猫は必ず自発的に、自分だけのお気に入りの場所をみつける。せっかくキャットタワーを買ったのに、あるいは猫ちぐらを買ったのに、猫が全然活用してくれないと嘆いた経験はないだろうか。人様がしつらえたゴージャスな寝床よりも、自分で見つけた粗末な段ボール箱に執着する。それが猫というものだ。

さらに言えば猫は「死角」に身を潜めることが実に巧みだ。まるでポーの「盗まれた手紙」のように、人の〈目の前〉で巧みに身を隠すのである。姿が見えないので、ソファーの下にでも隠れたかと床に這いつくばって探していたら、階段の上から「何かお探し?」とばかりに見下されていた経験は一度や二度ではない。そう、ここにも「猫隅」がある。

もう少し、「猫あるある」を続けよう。寝ている時に枕元にやってきて、しきりに布団の襟元を叩くので、さあお入りと布団を持ち上げると、ぷいと向きを変えてどこかに行ってしまう。部屋のドアを両手でカシカシしているので開けてやると、部屋には入らずに歩み去っていく。いったいお前は何がしたいのだと問いかけても本当は喋れるくせに無言である。しかし、私たちは学ばなければならない。これこそが真の「主体性」であり「自発性」というものなのだ。ほんらい、主体性はこのようにしか発揮されえないのである。そう、「猫隅」とは「主体性の宿る場所」なのだった。

ここまで読んでいただけたのなら、もうおわかりだろう。批評とはさまざまな作品に宿る「猫隅」を見出す営為なのだということが。その意味で批評の機能は、作品の――作家の、ではない――エンパワメントであり、作品の主体性を引き出すことである。「猫隅」に宿る主体性、そのポリフォニーに耳を傾けること。そのような企図のもとで編まれたこの批評集のタイトルに「猫隅」の一語が冠されることは、実に自然ななりゆきだったのだ。

I 現代文学

石原慎太郎と私

「人たらし」としての慎太郎

二〇〇〇年代前半、私は文芸誌編集者のちょっとした気まぐれから、文芸批評界隈に少しだけ関わりを持っていた。『文學界』『小説トリッパー』『新潮』『すばる』などの雑誌で批評の連載を持ち、それぞれ『文学の徴候』（文藝春秋）、『文学の断層』（朝日新聞出版）、『関係の化学としての文学』（新潮社）などの単行本として上梓された。まったくの門外漢にしては頑張った方ではないかと思うのだが、これらが私の著作の中でもひときわ読まれなかったのも事実である。

もっとも、こうした業界に関わったおかげで、多くの作家と面識を得る機会があった。意外に思われるかも知れないが、その中で、もっとも親しく交わった作家が石原慎太郎氏である（知人でもあるので敬称は略さない）。対談以外にプライヴェートでも会う機会が最も多かった、という意味で。

石原氏との出会いは二〇〇一年『小説トリッパー』の対談だった。対談場所となった山の上ホテルでは、都知事のご来臨とあって、ボーイたちが廊下に整列して出迎えていたのを憶えている。文筆家デビューしてまだ数年という「気鋭の精神科医（笑）」として、私は緊張しつつもかなり気負っていた。都知事何するものぞという勢いで、出会い頭に「病跡学」の話題を振った。あげくに田中眞紀子はヒステリー、小泉純一郎は分裂気質、そしてあなたはてんかん気質（中心気質）だ、と断じたのだ。今思い出しても冷や汗ものである。

そこから江藤淳の石原評である「無意識過剰」の話に繋げ、石原さんの小説は「ぜんぜん共感できないのに感動する」などと言いたい放題だった。しかし、何が幸いするかわからない。私のぶしつけともとれる評言を「あなたは面白いね」と鷹揚に受け止め、そのためかこの対談は、かなり充実したものになった。少なくとも石原氏の「自分語り」をあれほど引き出し得た対談は、当時あまり例がなかったように思う。

どうも私のようなタイプの人間が珍しかったのか、多分に買い被りもあったのだろうけれど、その後しばしば呼び出されるようになった。MXテレビでの対談や、都庁で開催された東京ビッグトークなるイベントに呼ばれたり、私的な会食に招待される機会も何度かあった。

これ以外にも年に一〜二回、不意に私の携帯に電話がかかってくることがあって、これはなかなか心臓に悪かった。個人的な用件の時もあれば、「最近の若者事情について知りたい」といった「取材」もあった。そこで話した内容が、翌月の『文藝春秋』などに掲載された原稿に引用されていたりする。もっとも、「徴兵制があったらひきこもり青年たちが真っ先に志願するだろう」というトピックをあちこちで引用されるのにはいささか参った。あれは青年達がいかに「自暴自棄」であるかを象徴するエピソードのつもりだったのだが、徴兵制を肯定するような話に変えられてしまうのはさすがに反則、と感じたものだ。

電話といえば石原氏は、政治家には稀なことに、必ず自分で電話をかけてくる人だった。私が知っている「偉い人」は、たいがいな小物であっても秘書に電話を掛けさせたがる。向こうから掛けておいて「いま○○と代わりますので少々お待ちください」などとこちらを待たせたりする。そんなことをするほど「小物ぶり」が際立つと知ってのことだろうか。石原氏は、実際以上に自分を大きく見せることをひどく厭う人である。そういう筋の通し方には古風ながら好もしい気概が感じられた。

とはいえ私も、報道された限りでの石原氏のさまざまな「失言」に眉をひそめたことがないではない。しかし石原氏と会っていて、不愉快な思いをしたことは一度もない。一般的な印象はどうあれ、氏はきわめて繊細で謙虚な一面を確実に持っていた。これは、私がこれまで面識のある政治家の誰にも感じたことのない特質である。私の中では議員というのは、ほぼ「自分の話しかしない人間」のことである。しかし石原氏は逆で、自分のことが話題の中心になりかけると、それが肯定的な話題であっても、ぱっと体をかわそうとするようなところがあった。

私は精神科医という職業柄、政治とは一定の距離を保つように心掛けてきた。おそらくはリベラルの側に分類されるであろう私の政治的スタンスよりも、臨床活動を優先してきたというほどの意味である。担当しているひきこもり患者が回復して、「維新の会」候補者の選挙事務所でバイトをしたいと言い出したら「楽しんでおいで」と送り出すくらいの度量はある。腰の引けた護憲論者ではあるが、率直に言えば「護憲」自体は私の生活世界において、優先順で一六番目くらいの位置付けでしかない。

石原氏は、私との対話の中では、ほとんど政治の話をしようとはしなかった。私の著作を読んでいたかどうかはわからないが、おそらく私の政治的傾向には気づいていたのだろう。そうした一線をしっかりと守る氏の配慮には、神経質な気遣いよりも、動物的な勘が働いているように感じられた。

要するにお前は「人たらし」たる石原氏の資質に手もなくやられただけだろう、と言われれば返す言葉もない。ただ、別にそのことについて後悔もしていない。私は後述するように、小説家としての石原慎太郎を一貫して高く評価してきたし、それは今でも変わらない。政治的信条には相容れないところもあるだろうが、決定的な要因ではない。むしろ私は、政治と無縁だったからこそ、この希有な――それだけは否定しようがない――人物の知遇を得られたのである。それは今でも、実に幸運なことだったと考えている。

中心気質者

小説家としての石原慎太郎については、いままで何度も依頼されるままに書いてきた。これは、私の世代では、福田和也や中森明夫、あとは私くらいしか高く評価する書き手がいなかったためもあるだろう。その意味で豊﨑由美と栗原裕一郎による『石原慎太郎を読んでみた』(原書房)は喜ばしい試みだった。石原嫌いを自認する豊﨑をして、とにもかくにもその作品は認めざるを得ないところまでこぎ着けたのだから。本書が露わにしたのは、長きにわたる偏見と先入観こそが、石原文学の正当な評価を阻んできたという現実だった。

疑うものには、とりあえず傑作短篇集『わが人生の時の時』(新潮社)を手に取ることを勧めたい。本作との出会いはまさに衝撃的だった。もちろん『太陽の季節』や『弟』などを読んでも、作家としてのすぐれた資質は読み取れる。しかし石原氏の資質がことのほか凝縮されたこの作品集の感動は格別である。本作を読めば、彼がなるべくして作家になったということがたやすく腑に落ちるであろう。

かつて書いたことの繰り返しになるが、私は石原氏の文学を語るなら、それは必然的に「作家論」になると確信している。その小説は石原氏の身体から湧き出でてくるものであって、修養や技巧の産物ではない。たとえば近年、蓮實重彥が『『ボヴァリー夫人』論』で行ったような、作家とも登場人物とも異なる「話者」の位相を想定した分析などは、氏の小説を読むに際してはあまり役に立たない。石原文学の特異性とは、石原氏本人の特異性を抜きにしては語れない。ならば、その「特異性」とは何であるか。

これを書くのはもう何度目かになるが、あえて繰り返す。私は石原慎太郎氏の「中心気質性」に注目している。「気質」とはドイツの精神病理学者、エルンスト・クレッチマーが創出した概念だが、彼は人間の気質を三類型に分類した。肥満型に多い「循環気質」、やせ型に多い「分裂気質」、そして闘士型（筋肉質）の「粘着気質」である。それぞれ病理としては、躁うつ病、分裂病、てんかんという三大精神病に対応する。

精神病理学者の安永浩は、このうち類てんかん気質を含みつつ拡大した概念として「中心気質」を提唱した（「『中心気質』という概念について」『安永浩著作集第三巻　方法論と臨床概念』金剛出版）。「『ふつうにのびのびと発達した』五〜八歳位の『子供』のイメージ」であり、天真らんまんで、感情表現が直接的である。周囲の具体的事物に強い好奇心を向け、熱中しやすく醒めやすい。運動のための運動を楽しみ、くたびれれば幸福に眠り、「昨日のこと」は眼中になく明日のことは思い煩わない。「中心」とは、どんな気質の中核にもこの〝動物的〟な性質があるためで、時にこの気質が、後天性の偏りを受けずにまっすぐ伸びていくと、中心気質者になるという。

石原氏が「天真らんまん」とはこれいかに？　そうした疑問もあろうが、事実、石原氏の評伝『てっぺん野郎』の著者・佐野眞一氏は、さきの安永浩氏の記述を読んで、「当たっていることのあまりの多さに、驚かされる」と記しているのだ。「短気、わがまま、粘りのなさ、骨おしみ、非寛容、オカルト世界への傾斜、加齢と成熟を拒む幼児志向。これに強烈な国家意識という指摘を加えれば、そこに等身大の石原慎太郎像がほぼ浮かび上がる。ここには『大きな餓鬼大将』ともいうべき慎太郎の魅力も、慎太郎が嫌悪と反発の対象となる理由も、すべてといっていいほど語られている」(『てっぺん野郎』四六八頁)。

実はこの気質をもつ日本人はそれほど多くない。私見では映画監督の黒澤明、夭逝した天才レーサー・浮谷東次郎、勝新太郎、北野武らが該当する。とくに北野武には石原氏も親近感を覚えるようで、彼の発言や映画を手放しで絶賛している。

気質についての解説は以上で十分だろう。実はこれは、政治家においてはきわめてまれな気質である。詳しい説明は省略するが、政治家はそのほとんどが循環気質者、つまり良く言えば社交的な常識人で、悪く言えば強欲な俗物であると私は考えている。そうした「伝統」にあって、私の知る限りほぼ唯一の中心気質者が石原氏であり、唯一の分裂気質者が小泉純一郎であったことはやはり特筆すべきことではないか。

衝動と自由

石原氏の作品には、いくつかの通奏低音がある。一つは『秘祭』や『聖餐』などに描かれたエロスとタナトス、そして二つを媒介する「暴力」。もう一つは『化石の森』や『火の島』などに描かれた「宿命観」と「必然性」である。

とりわけ中心気質者にとって重要なのは後者であろう。

私はかつて、こうした石原氏の宿命観が、スピノザのいわゆる「コナトゥス」という概念にきわめて近いものであることを指摘したことがある(『石原慎太郎の文学2　化石の森』解説、文藝春秋)。簡単に説明しよう。

スピノザによれば、あらゆる事物は、すべてそれ自身の存在を肯定し、あるいは存在を否定しようとする力に抵抗すべく努めようとするという。この抵抗力が「コナトゥス（努力）」である。

この努力が精神だけに関係付けられると「意志」と呼ばれ、それが同時に精神と身体とに関係付けられると「衝動」と呼ばれる。したがって衝動とは人間の本質そのものであり、その本性から自己の維持に役立つすべてのことが必然的に出てくる。つまり人間はそれらのことを為すように決定されているわけである。(『エチカ』岩波文庫)

この記述は石原文学の登場人物にも、石原氏自身にもあてはまるように思われる。すなわち「意志」と「衝動」が、肯定的な必然性によって結びつけられている、という意味において。スピノザが言うように衝動は精神と身体に関係づけられるが、この強靱な身体性による媒介こそが、石原文学の可能性と限界をともに形作っている。

彼の衝動には「このように生きるほかはなかった」という宿命観と、しかしそれでも「衝動」と呼びうるだけの「自由さ」の感覚がともに含まれている。石原氏が政治というきわめて制約の多い世界であたかも自由人として振る舞っているように見えたとすれば、それは政治家としての氏の言動が、良くも悪くも「衝動」に依拠していたからだろう。

石原氏の身体性は、おそらく「国家」に深く結びついていた。それゆえ彼の失言の多くは、この「国家と一体化した身体」がはらむ「嫌悪」から発せられたように思われる。その意味で石原氏は、ナルシシズムと同じ水準でナショナリズムを語れる希有な政治家だったのではないか。

「天才」との決別

震災後、私は石原氏と一度だけ電話で話をしたきりで、その後は接点がない。東日本大震災における「天罰」発言には、被災した元東北人として腹も立ったが、それは決定的なものではなかった。ただ震災以降、さまざまな意味で石原氏は〝変わって〟いったように思う。加齢と言うよりは、震災のダメージが、石原氏の身体にまで及んでしまったかのような変化だ。

その徴候を最近のベストセラー『天才』(幻冬舎)に読み取るのは奇妙な話だろうか。本書は知られるとおり田中角栄の評伝で、宣伝文句は「角栄の霊言」である。角栄が石原氏に憑依して一人称で書かせたという趣向のノンフィクション。八三歳にしてなお旺盛な創造力は人をして驚嘆もさせようが、私は率直に言えば、はじめて氏の小説に軽い「失望」を感じた。田中角栄は典型的な循環気質者で、石原氏とは気質的にかなり距離がある。そこをあえて同一化しようとしたため、不自然な箇所が散見されるのだ。

角栄は晩年、脳梗塞に倒れ、身体が不自由になった。『天才』では、その後も角栄の意識は清明で、さまざまに物思いにふける様が描かれる。ここが完全に石原節になっている。「政治家でなくなった今、もう何の執着もありはしない。（中略）願ったことは何もかもやり遂げてきたと思う。（中略）俺は自分一人でそれをやり遂げてきたのだ。いや、俺の知らぬ誰とはいわぬ何かが俺を見守ってくれていたのかもしれない」。

政治家の晩年はさまざまだろうが、これはむしろ石原氏自身の述懐ではないのだろうか。自由な「衝動」のもとで政治に参画し、わが来し方を振り返るとき、これが石原氏の独白だったとしても何の違和感もない。

しかし角栄は、こんなことは言わない。彼に意識があったとすれば、もともと循環気質者だけに、晩年はうつ状態に陥っていた可能性がきわめて高いからだ。その場合、人生は後悔の連続となる。これは成功者か否かに関わりないことだ。関わってきた他者への罪悪感、やり残したことへの執着、失脚を招いた自身の脇の甘さへの後悔などが、晩年の角栄を責めさいなんだとしても不思議ではない。引退した後でこれほどさばさばと割り切れるのは、石原氏の気質以外では考えにくい。

それゆえ本書への私の評価は、循環気質者の霊に中心気質者が憑依されたらどんなことが起こるのか、という壮大な実験を試みた「奇書」ということになる。その結果はっきりしたことは、「中心気質者の圧勝」だった。つまり『天才』は、田中角栄の評伝という形式で描かれた、政治家・石原慎太郎の精神的自伝ということになる。

本人の言を借りれば天才的「人生家」である石原氏との接点について、あらましは以上の通りである。わたし自身にとって、それは「必然」の「宿命」だったのだろうか。それはわからない。ただ石原氏が私にとって「人生の時の人」だったことは、今も疑い得ないのである。

潜在する「路地」のトポス

関係性の空間

中上健次はしばしば「路地」を「ウツホ」に例えた。ここで言うウツホとは、すべてを孕む原初の場所を意味する。「文学も音楽も絵も、一切合切はウツホの中から出てくると思う」「宗教と性と暴力と、そういうものの混交した場所」(「物語の定型」『中上健次発言集成6 座談/講演』)と。それはまた「ゾーンとしてのボーダー」と呼ばれ、差別を無根拠化しつつ差異を肯定的に語ろうとする場合の拠り所にもなった。

もし中上の言う「路地はどこにでもある」という言葉が〝ベタ〟な意味で正しいのなら、たとえ再開発によって「路地」が消滅したとしても、何も変わりはしないはずだ。しかし実際には、路地消滅後を描く中上の文章ははっきりと変質していく。

しばしば言われるように、描写も物語も、急速に平板化していくのだ。人物造形からも複雑さや奥行きが失われ、『讃歌』に至っては固有名すら奪われて記号化していく。初期三部作に顕著だったような、濃密で匂い立つような描写は徐々に失われ、『異族』に至っては「キャラクター小説」などと評する声もあるほどだ。

それがどの程度意図された変化であったのかは分からない。優れた批評家でもあった中上が、まったくそうした変化に無自覚であったとは考えられないが、本人の意図についてはあえて問うまい。

私の考えでは、路地＝ウツホは、単なる母性的な空間ではない。そこはむしろ徹底して関係性の空間だった。その祖型となるのは、浜村龍造と秋幸との関係がそうであったような「母－娘関係」だった。

これは書き間違いではない。彼らの見かけ上の父子関係は、その言葉から連想されるような厳しい対立を孕んでいない。秋幸の反発はことごとく受け流され、龍造は秋幸に惚れ込んでいるかのような発言をする。さらに重要なこととして、彼らの親子関係はしばしば身体的な同一性、あるいは類似性を介して確認される。詳しい検証は省略するが、父息子関係が規範を巡る葛藤であるとすれば、母娘関係は身体性を介して関係し合い、あるいは葛藤する関係であると考えられる。まさにそのためにこそ、秋幸の「父殺し」は頓挫する。その延長線上で考えるなら、路地は作家にとって、さまざまな意味で「身体性」を担保してくれた空間ではなかったか。それが「どこにでもある」ことを証立てるかのように、中上は現実の路地喪失後も旺盛な創作活動を続けていく。

「路地」は実在するか

しかし、もし本当に中上が路地の遍在性を信じていたのなら、なにゆえ彼は『日輪の翼』において、ポータブルな移動式路地とでもいうべき冷凍トレーラーに七人の老婆を乗せ、各地の巡礼を続けなければならなかったのだろうか。

あるいは『讃歌』における匿名的な性の饗宴は、固有名を根拠づける空間＝路地なしで身体性を回復することが目論まれたことを意味しないだろうか。

実際、『讃歌』におけるイーブは、「性のサイボーグ」とあるように、男女を問わない性的魅力を発揮しつつ、ひたすらマシンのように〈白豚〉や〈黒豚〉の相手をし続ける。中上作品中でももっとも大量の文字が性描写に費やされるさまは、根拠を喪失した匿名的な存在にも「性」を通じての「固有の身体性」の再獲得は可能であるか？　という問いが反復されているようにも読める。

しかし、その試みはうまくいかない。イーブが金色の小鳥に導かれて辿り着いた公園には夏芙蓉の白い花が咲いている。いずれも実在しない「路地の換喩」であり、その現出を契機に行方不明になっていた三人のオバらとの再会が果たされる。彼女たちとともに帰ろうと誘うイーブに、ターは「どこへ帰るんだ」と言い放つ。

かくして「路地」の移動、「路地」への帰還は頓挫した。「路地」とは何だったのか。繰り返そう。中上は差別を無根拠化しつつ、差異を肯定的に語ろうとした。「ゾーン＝ボーダー」である路地には、いかなる固定的な本質もない。それは、ただ差異だけを生み出すトポスにほかならない。それを移動しようとする『日輪の翼』の試みは、その最終的な「失敗」も含め、どこか紀州サーガそのもののパロディめいた「軽み」を帯び始める。本作はその意味で「移動不可能であるがゆえに遍在する」という路地の特異なトポロジーを描き出した傑作である。

いっぽう『讃歌』もまた、「路地」の別の可能性をもとめる作品だ。「セクシュアリティ」もまた「路地」である、という意味において。しかし「移動」と同様に、過剰な反復と複製もまた「路地」を消滅させてしまう。

ドゥルーズの言い方を借りればこのように言いうるだろう。「路地はどこにでも〝潜在〟する」、と。それゆえ移動や増殖は、路地の「実在化」の試みとして、予め失敗を運命づけられている。しかしひとたび、「路地の潜在性」を引き受けるならば、それはわれわれの思いもよらないタイミングで現実化し、われわれを不意打ちにするだろう。中上自身の小説そのものが、常にそうした実践であったように。

豊穣なる「ヤンキー文学」

「超越論的批評」を越えて

『熊野集』、『化粧』、『蛇淫』はいずれも、中上健次の中期短編集である。『化粧』は『枯木灘』と、『熊野集』は『地の果て 至上の時』と平行して書かれており、それぞれの呼応関係はまことに興味深い。ことに『熊野集』は、「小説とルポルタージュ、虚構（フィクション）とノンフィクションの綜合」（高澤秀次「中上健次の作品世界」『中上健次事典』恒文社21）をめざした試みであり、高澤によれば「路地」と現実の被差別部落が一挙に圧縮され、あるいは一挙に引き裂かれるような筆使いであると評価されている（同書）。まさに作家・中上健次が自己を確立した時期の作品で、エロスと暴力、説話とノンフィクション、土着と普遍といった主題が繰り返し描かれ、「紀州サーガ」に連なる世界観が、次第に形成されていくさまをつぶさに観察することができる。

さて、知られる通り中上健次の名は、すでに批評業界内では神話的な域に達しつつあり、そのぶん若い読者が近寄りがたいものになっているのではないかとか、過大評価が過ぎたのではないかといった価値切り下げを目にする機会が増えた。

私自身は中上を格別に神格化するつもりもないが、それでも彼の「語られ方」にはある種のバイアスが強すぎて、むしろ中上文学の多様な可能性を十分に引き出し得ていないのではないかという懸念はある。そこで本論では、通常の意味での「解説」をいささかはみ出す形で、中上論に新たな視点を追加することを試みたい。

まずは作業仮説を立てよう。私はかねてから、中上文学がもっとも豊穣な「ヤンキー文学」であり、彼の存在こそがヤンキー文化の可能性の中心ではないか、と考えていた。いそいで付け加えておくが、中上には肉体労働の経験はあっても、目立った非行歴や犯罪歴はないし、ヤンキー的なファッションやバッドセンスを誇示してもいなかった。そればかりか、詩や文学、ジャズといった、およそヤンキー文化の対極とも言える世界とのつながりが深かった。

作中には確かにおびただしい不良、暴走族、やからが登場する。主たる接点と言えばそのくらいだ。しかし、それだけの理由で中上の作品をヤンキー文学呼ばわりするほど私は軽率ではない。大げさに言えば、この論は、こと一〇年ほどかけて温め、ひそかに検証を重ねた末に、確信を持って展開できるところまで練り上げてきた論である。単なる印象論を越えた構造論的な批評として、中上文学におけるヤンキー的な本質について検証してみたい。

ヤンキー文学の可能性を理解するには、従来の批評の枠組みでは難しい。どういうことだろうか。私の雑駁な理解では、日本における批評のあるべき姿を良くも悪くも象徴するスタイルがいわゆる「批評空間」的なものであるとして、これを超越論的批評と命名することが可能であろう。構造分析から脱構築に至るまで、精神分析（ただしフロイト＝ラカン限定）からテクスト論に至るまで、その場所は常に作品の、あるいはテクストのメタレベルに「真理」（あるいは真理値を帯びた空虚）を確保せんとする動機と運動に支えられている。

たとえば柄谷行人は、そうした超越論的運動の限界をふまえて『トランスクリティーク』を著し、東浩紀はデリダに依拠しつつ、そうしたスタイルを否定神学として批判した。しかし批評業界にあっては、この伝統はきわめて層が厚く、まったく新たにオルタナティブな批評文法を展開することは、依然として困難をきわめている。脱・超越論的批評を銘打っておきながら、結局はベタな超越的批評に頽落してしまうたぐいの事例は枚挙に暇がない。

この視点からの「勘ぐり」になるが、柄谷行人による、あるいは批評空間周辺の批評家による、後年「過大評価」とも揶揄された中上健次への称賛には、そうした従来の批評文法（「貴種流離譚」や「父殺し」といった）では汲み尽くせない可能性が期待されたという側面はなかったか。少なくとも、私にはそのように回顧されてならない。ならば、中上健次が指し示す新たな批評の可能性は奈辺にあるか。これはあきらかに一精神科医の手に余るテーマではあるが、右手に精神分析、左手にヤンキー論を携えて、行けるところまで行ってみよう。

「父殺し」から「母殺し」へ

私はこれまで何度か、まとまった中上論を書いてきた。最大のものは二〇〇九年に出版された『関係の化学としての文学』（新潮社）所収の文章で、本書の実に三分の一は中上論と言っても過言ではない。ほか文庫解説や熊野大学での講演など何点かあるが、基本的な論旨はかなり重複するので、まずはそれについて概要を記しておこう。

最も重要な前提は、中上文学における「父殺し」の変容である。

いわゆる「紀州サーガ」は、強いて言えば「父殺し」が「母殺し」へと変質していく物語である。たしかに浜村龍造は、存在自体は強大な男性原理の体現者にもみえる。しかし奇妙なことに、彼は主人公・秋幸をほとんど抑圧しない。近親姦と弟殺しという最大のタブーを犯した秋幸をあっさり許し、自身の後継者に名指そうとすらする。その姿勢に抑圧と支配の影がまったくない、とまでは言わないが、少なくとも父性原理による抑圧構造は、ほぼみあたらないと言って良い。

浜村龍造－秋幸の関係性は、父と息子というよりは、母と娘の関係に似ている。そのような仮説に立って小説の描写を追っていくと、至るところで奇妙なシーンに出くわす。秋幸と龍造の身体的特徴が克明に描かれ、その相似性が強調されるのである。いくつか例を示そう。

彼は、大きな体だった。手も足も、ごつごつしていた。眼は、板にくり抜いた穴のようだし、鼻は、獅子鼻だ。（中略）あの男の顔だった。世の中で一番みにくくて、不細工で、邪悪なものがいっぱいある顔だ。（『岬』）

男は五十三歳だった。黒い冬物の生地のような長袖シャツをつけていた。だが乗馬ズボンではなかった。男は顔をあげ、秋幸を見た。一重の眼が秋幸に似ていた。

確かにおまえの子だ、おまえからこの胸も眼も歯も性器も半分ほどもらった、だがその半分が嫌だ。男は町で秋幸を見ていた。それは秋幸を見ているのではない、半分ほどの自分を見ているのだ。（『枯木灘』）

「父殺し」が主題であれば、こうした描写はあえていえば〝非効率〟である。父殺しの欲望は、身体的特徴への嫌悪よりも、父親の抽象的な属性（権力、偽善、暴力性など）へ向けられるものであり、こうした近親憎悪的なスタイルで表出されることは考えにくい。おそらくは父殺しを意識していたであろう中上が、それでもこうした描写をしてしまう点において、私はさしあたり「作品の無意識」の作動を読み取らずにはいられない。

その後、身体性にまつわる描写は、むしろ龍造と秋幸の「融合」を促進しはじめ、身体を媒介とした親密さをいや増しにする。例えば以下のくだり。

秋幸は月明りの中に坐り、浜村龍造が大きく深く嘆くように息を吐くのを知り、夜目に浮かんだ浜村龍造を見た。秋幸は夜目に溶け入るとそこにいる浜村龍造が自分とうり二つの男で、血の繋がりを否定出来ない事実だと分るにつれ、浜村龍造が父親ではなく、別の者のような気がした。(『地の果て 至上の時』)

ここでは龍造と秋幸が、さらに先祖の孫一までもが身体性のレベルで融合していく。ひとたび父親との融合を自覚してしまった息子にとって、「父殺し」は不可能なものとなる。もはや父は他者ではなく自らの一部をなしており、それを殺すことはすなわち自傷、自殺を意味するからだ。

この描写の翌朝には、融合は親密さのきわみに及びはじめる。

秋幸は河原で肥後ナイフを踏み抜いて怪我をする。龍造は秋幸に、いますぐ小便をするか、裸になるか、水につかるかせよと促す。山の神の怒りを静めるためだ。すかさず川に入る二人。

秋幸が水の中に入りかかると浜村龍造は手早く長袖シャツと下着を取り、「兄やん、こら」と妙な言い方をし、体をねじって背中を見せる。背中から尻にかけて一面に雲を突く龍の刺青があった。浜村龍造は突然、渓流の中に水を散らして入り、股を洗い尻を洗い胸を水でこすり、秋幸が立って腰を突き出して小便しはじめたのを見て、秋幸が刺青に驚かなかったのを安堵したように「いくら孫一殿じゃ言うても、親が体を清めとるのに上で小便するとは何

じゃよ」と言って水を掛ける。（同書）

まるで恋人同士の戯れのように、水を掛け合う二人の描写に、もはや「父殺し」の昏い衝動を見出すことは難しい。

この変質に読み取られるべきは、龍造×秋幸の関係が、「父－息子関係」から「母－娘関係」に限りなく近似してゆくような変容である。どういうことか。

母娘関係の特殊性と困難性は、その身体的同一性に基づく密着関係にある。キャロリーヌ・エリアシェフはこうした母娘の密着関係について「プラトニックな近親相姦」と呼ぶ（『だから母と娘はむずかしい』白水社）。

エリアシェフは「同性であるがゆえに母娘間には近親相姦的関係が成立しやすい」とする。娘は母親を映す鏡であり、自己愛投影の対象であり、相互的関係ではなくアイデンティティーの混同をまねきやすいというのだ。

「母と娘のアイデンティティーが混同されるため、思考や感情のすべてをお互いに打ち明け、洋服を貸し合う傾向が生まれる。なぜなら母と娘の身体は共通で、ふたりの間のあらゆる境界と差異は消えてしまっている」からである。

こうした身体的同一性ゆえの親密さは、母娘関係においてのみ成立する。母と息子では身体が共有されないし、父と息子の関係には、単に身体性が欠けているからだ。中上がおそらくは無自覚に、龍造と秋幸の身体的特徴の類似を克明に描写するのは、こうした関係性の変容へと向けた準備運動のようにも読めてしまう。

そして、まさにそれゆえに、「紀州サーガ」においては「父殺し」が成立しない。『地の果て〜』では、ヨシ兄が鉄男に拳銃で撃たれ病院に運ばれた翌日の早朝、浜村龍造は自殺を遂げる。秋幸は龍造の書斎のドアが半開きになっているのを見て、中をのぞき込む。暗闇の中にたたずむ影が、その「呼吸する深さ」によって、龍造であることがわかる。秋幸は影が頑丈な椅子をひきずってきた事を知って状況を理解する。しかし声を掛ける事ができない。龍造の身体が落ちた瞬間、秋幸は「一つの言葉しか知らない」ように、「違う」と叫ぶ。

「母の娘」となった秋幸による母＝龍造殺しは、「母殺し」として頓挫するほかはなかった。繰り返すが、龍造と秋幸はすでに身体性を共有する関係（「プラトニックな近親相姦」）にある。この関係において一方が死ぬことは、もう一方も半身を失うことを意味するからだ。

中上がいうには、あれは途中までは父親を殺すつもりだったらしいんです。それが途中で殺せなくなって、どうしても殺せないということになって、自殺することになったといっていました。（柄谷行人。川村二郎との対談「中上健次・時代と文学」『群像日本の作家24 中上健次』小学館）

そして中上自身も、小島信夫から問われてこう応えている。「もちろん他の終り方も考えてみましたが、結局あれ以外にないと思いました」と（対談「血と風土の根源を照らす——『地の果て至上の時』をめぐって」『中上健次集六』インスクリプト）。

いわば中上は、周囲からの批評的期待に応えるかのように、超越論的な物語展開を構想しておきながら、結局は物語そのものがはらんでしまった自律的ドライブに圧倒されて、『地の果て〜』の結末を「母殺しの頓挫」として書くほかはなかったのだ。私はそれをひとつの僥倖であったと考える。中上はすぐれた批評家でもあったが、つまるところは「批評」よりも「物語」の人であった。それゆえ『地の果て〜』は批評困難な作品であるにもかかわらず、彼の代表作の一つたり得たのではなかったか。

「母と娘」の相互陥入

みてきたように、中上作品は本質的な意味で「母性的」であり、それゆえ超越論的批評を誘惑してしまう。この点については、もう少し抽象度を上げ、構造論的に検討してみよう。

繰り返し指摘してきたように、母と娘の関係は、身体性という共有部分ゆえに密着型になりやすい。比喩的に言えば細胞レベルで融合が起きているような、一種の「入れ子」もしくは「相互陥入」とも言うべき関係性である。

そして中上は、さまざまな場面で、こうした「入れ子」や「相互陥入」について語っている。もっとも有名なものは例の「松阪牛とフォアグラ」についての発言であろう。中上は松阪牛の霜降りを、日本文化の象徴としてデリダに提示する。デリダがフォアグラもそうだと指摘するや、中上は見事に切り返す。引用しよう。

> フォアグラの場合は肝臓ですよね。肝臓という存在や機能を考えてみれば、あるものを排除するという思想が出てくるんですよ。（中略）毒を排除する、解毒してしまう。アブジェクション、要するにきたないもの、けがれたものをいつも排除しようとするものが出てくる可能性がある。（中略）
> 松阪牛の場合は、それ自体が毒なんですね。霜降りの脂肪の中に何が入っているか、わかったもんじゃない。もう脂肪と肉がグジャグジャになっちゃっているんだから。だから、共に美味であることは確かですが、中心と周縁という単色に還元できないところがあるんです。
> （「稔れということ」『中上健次発言集成3 対談Ⅲ』第三文明社）

脂肪が沈着した組織という点では同じでも、肝臓には排除の構造がある。しかし松阪牛には、内と外、中心と周縁という構造を無効化しつつ、しかし均質化とも異なる構造がある。区分を区分として残しつつも、複雑きわまりないフラクタルな入れ子構造がそこにあるのだ。

この構造は言うまでもなく「路地」にも共通する。


路地というのは非常に不思議な空間で、内であって外である。路地の中を歩いていると、いつの間にか外に出てしまっている。どこから外に出たのかわからない。外だと思って歩き続けていると、いつの間にか内側の真っ只中にいる。どこから内側に入ったのかわからない。そういう妙な空間です。つまり路地そのものが、「境界」というのですか、ボーダーというのでしょうか。（講演「小説家の想像力2」『中上健次集十』インスクリプト）

このボーダーは線ではなく「ゾーン」である。「ゾーンとしてのボーダー」が路地であり、このゾーンにおいてはやはり「内」と「外」が相互陥入しあう関係に置かれることになる。

松阪牛＝路地、と来れば、ここに中上文学のもう一つのキーワード、「ウツホ」が召喚されるのはもはや必然である。

「ウツホ」とは、中上が「物語の祖」と呼ぶ『宇津保物語』に由来する言葉である。竹取物語の竹がそうであるように、一種の空洞であり、物語が生成する「疑似神話空間」でもある。あるいは「路地はどこにでもある」と言われるときの「路地」もまた、ウツホにほかならない。

考えてみますと、文学も音楽も絵も、一切合切はウツホの中から出てくると思うんです。一切合切はそこから生み出されてくる、そのウツホというものを、もう一遍、文学のレベルに引き上げて考えてみますと、宗教と性と暴力と、そういうものの混交した場所みたいな、つまり、それこそが神話の持っている意味でしょうが、そういうものが同時にウツホでもある、という気がするんです。そこから何もかも出てくる。(「物語の定型」『中上健次発言集成6 座談/講演』第三文明社)

路地＝ウツホ。この等式から導かれる結論は、以下のようになる。ウツホとはあらゆる境界線を決定不能な相互陥入の関係に変換し、そこが言うなれば単性生殖的な生成空間として機能しはじめる場所である、ということ。この意味からも「路地」は母性的空間であり、より正確には母‐娘的空間なのである。それゆえ注意すべきはウツホの構造が、否定神学的な意味での空虚でもなければ、未分化な混沌(カオス)でもない、ということだ。むしろウツホは「父の名」や「ファルス」といった超越論的記号をことごとく無効化するような特異空間なのである。おそらく中上文学に対する超越論的な批評、ないし精神分析的営みが最終的に頓挫するのは、まさにこの「ウツホ」ゆえ、ということになる。

なぜ超越論が機能不全に陥るのか。端的に言えばこの空間では、メタレベルすらも相互陥入的な構造に取り込まれてしまうからだ。そこで人はメタについて語る内に、いつの間にかきわめてベタな地点に何度も引き戻されるだろう。中上文学の批評が、どれほどそれを振り切ろうとしても、「中上健次の人となり」や「熊野という風土」の語りに繰り返し立ち戻ってしまうように。これは「天皇制」を超越論的に語ろうと試みては、なんども超越性（「お人柄」や「献身」などの人格的評価）の地点に引き戻されてしまう現象と良く似ている。

「四」対「三」

実はこの領域について中上は、「四」対「三」の問題として繰り返し論じている。

ここで例えば「起承転結」は「四の構造」を持つとされる。中上は『さんせう太夫』を例に引き、厨子王が母親と再会するところで物語が終わらず、山椒太夫の首を竹の鋸で引くところまでが語られるのは、「単に復讐心ではなく、説経節という賎民が創った文学の四の構造が、そのカタストロフィに向かって噴出している」とみなす。これはメタレベルの問題でもある。中上の解説を引こう。

視る者が統括する作用として差別という心的機構を持ってしまい、人の諸関係の産物として社会や、国家、法律、いや倫理、道徳を自然と言うなら、これも差別という機構を生む。（『紀州 木の国・根の国物語』）

このままでは、ややわかりにくいので、補助線としてラカンを引用しよう。

知られる通りラカンは、ディスクールの構造を四つに分類した。「〇〇のディスクール」、と呼ばれるその〇〇には、それぞれ「主人」「大学」「分析家」「ヒステリー」の四つがあてはまる。各ディスクールは同じ四つの要素（S_1：主のシニフィアン、S_2：知、a：剰余享楽、$\$$：主体）とそれらが置かれる四つの場（動因、他者、生産物、真理）から成立している。

例えば「大学のディスクール」においては、真理S_1を担保とした知S_2が学生aに働きかけ、その教育の結果として、学生は斜線を引かれた主体$\$$として生産される。ここで主体となった学生は、もはや教育課程を遡行して真理を問い直すことはできない。この構図は、ある種の批評にも該当するだろう。理論S_1を担保とした批評家の言葉S_2が作品aに働きかけ、そこに作者の斜線を引かれた主体$\$$が生み出される……という具合に。

この図式は偶然にも、四つの場に置かれた四つの要素の位置付けが四パターンという具合に、四に取り憑かれた図式になっている。後年ラカンは「資本家のディスクール」を追加したため正確には五パターンということになるが。私はもし中上がこの理論を知っていたら、四の例としてこちらを引いたのではないかと考えている。その上で例えば、「動因、他者、生産物、真理」の構造が、それぞれ起・承・転・結に対応する可能性を否定しない。

それではこうしたディスクールこそが差別に結びつくのだ、と中上は主張するのだろうか？

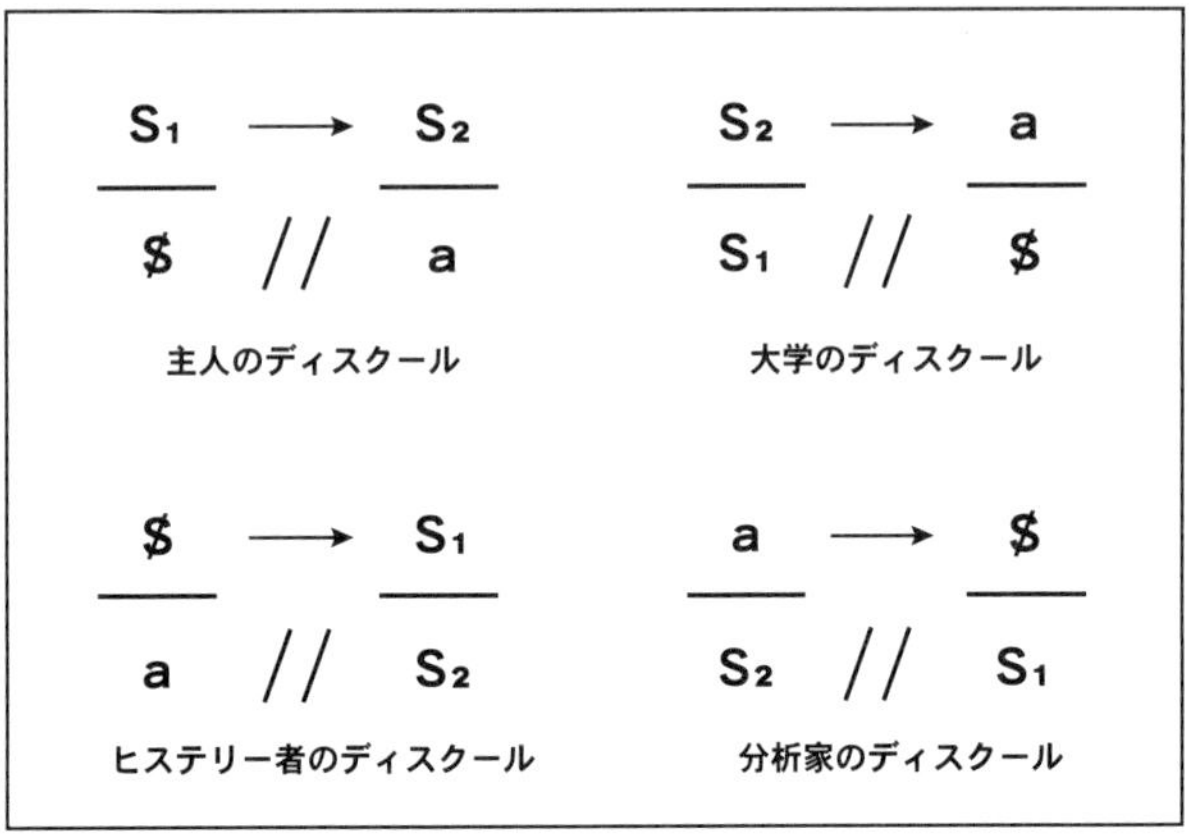

$$\frac{S_1}{\$}\ \overset{\longrightarrow}{//}\ \frac{S_2}{a}$$

主人のディスクール

$$\frac{S_2}{S_1}\ \overset{\longrightarrow}{//}\ \frac{a}{\$}$$

大学のディスクール

$$\frac{\$}{a}\ \overset{\longrightarrow}{//}\ \frac{S_1}{S_2}$$

ヒステリー者のディスクール

$$\frac{a}{S_2}\ \overset{\longrightarrow}{//}\ \frac{\$}{S_1}$$

分析家のディスクール

4つのディスクール

こちらについても検討してみよう。

典型はやはり大学のディスクール、ということになる。例えば学生を「研究対象（者）」としてみよう。理論S_1を背景とした知S_2が対象者aを分析し、対象者は問題を抱えた主体$\$$として生産されるということ。問題はこの過程が一方向的なものであり、研究対象者（当事者）が知のありかたを問い直すといった双方向性は想定されていないという点だ。

ここには、精神分析的な知のありようの限界が端なくも露呈されている。

ラカンが想定する分析家の位置付けは、たとえ患者を「分析主体」と呼ぼうとも、あくまでも患者の上位に分析家が位置づけられる。「分析家のディスクール」についてはもはや詳述はしないが、やはり関係性は一方向的で、分析家の立ち位置は「知っていると想定される主体」、すなわち高度な専門知を独占し、患者の自己洞察を深めてくれる立場だ。こ

れははっきりと非対称的関係、ありていに言えば権力関係である。

　ここからうかがい知れるように、ラカン理論の厳密性と精緻性は、分析家と患者（分析主体）の一方的な関係性に依拠することで維持されている。かりにディスクールの構造に「双方向性」や「可逆性」が導入されたなら、このような図式はもはや成立しなくなるだろう。

　中上の論に話を戻そう。中上が「四の構造」に対比したのは「三の構造」だった。すなわち「起承転結」に対する「序破急」である。これに加えて中上は、「三の構造」を人物配置にも応用したという。

> 第三者を配して、視線の複合（ポリフォニー）というか、見ること自体がもう一つのドラマをはらまざるをえないみたいな装置を考えました。つまり、秋幸がいるなら龍造がいる、龍造がいるなら友一がいるという三角（トリプル）の関係ですね。（小島信夫との対談「血と風土の根源を照らす――『地の果て至上の時』をめぐって」前掲書）

> モンのようにもっぱら語り手にまわり、一歩しりぞいた位置からいつでもどこへでも侵入できる人物を登場させました。
> 　こうしておけば、仮にこの『地の果て 至上の時』の二十年後の世界を描く場合にも、モンがこう語ったと別の誰かが語ったという視点を導き入れることで、今度の作品自体の意味

を変容させることが出来ると思いました。（同対談）

ここで中上の言う「第三者」は「大文字の他者」や「第三者の審級」といった超越論的な他者とは異なる。引用し、噂をする第三者、記述の中に内言のようにもぐり込む第三者であり、その意味では「自由間接話法的な他者」と呼びうるだろう。

ここで重要になってくるのが、「差異」と「差別」の違いである。中上はこのように述べていた。「差異と差別とはよく似ているが違う。差別とはあくまで四の機構であり、差異とは『三』、奇数の事であろう。文学で言えば序、破、急という短篇小説であり、批評文の書き方にもなろうか」（『紀州 木の国・根の国物語』）。

これもきわめて文学的な表現で、わかりやすいとは言えない。とりわけ「三」の特権性については十分に説明が尽くされているとは思えない。ここで私は、さきほどのラカンのディスクールの図式に、一方的な「作用」ならぬ双方向的な「関係性」を導入することを試みたい。

この大胆な改変においてまずなされるべきは、「真理」の位置を削除することである。すると残るのは「動因、他者、生産物」の区別となる。もともと生産物は真理に作用を及ぼし得ない、という原理が一方向性の原因だったわけであるが、その位置を抹消することで、残る三つの位置が双方向的に関係すること、すなわち対話が可能になる。動因と他者、他者と生産物、そして生産物と動因。つまりこういうことだ。ディスクールは四の構造を持つが、対話は三の構造を持つ、と。そして対話を主題とする限りにおいて、主人、大学、分析家、ヒステリーの差異は消滅するのだと。

さらに議論を進めるなら、ディスクールが見出す「差異」は、しばしば「差別」と区別ができない。よってディスクールの構造には常に「差別はいけない」というタガをはめておかなければならない。さらに言えば、ディスクールの構造は、それが分析家のものか、大学のものかが判然としない場合であっても、事後的にそれが判明するような超越論的な構造を持っている。

これに対して、対話が見出す「差異」はどこまでも「差異」でしかない。双方向的に対話し関係することが前提である以上、そこに「差別」のような排除の構造は生じようがないからだ。また、こうした対話は原則として超越論的な構造を生み出すことも、それを必要とすることもない。対話における「三の構造」は、メタとベタの相互陥入をもたらし、語りが不断にはらんでしまう超越論性が生じるやいなや揮発してしまうような構造になっているためだ。

つぎつぎとなりゆくいきほひ

さて、ここから先は、いよいよ中上文学の「ヤンキー性」を主題としたい。

中上のヤンキー性に気づいたのはもちろん私だけではない。二〇一六年公演のやなぎみわによる演劇「日輪の翼」こそは、中上文学の秘めたヤンキー性を、もっとも見事に作品にまで昇華し得た希有な事例であった。

手短に解説しよう。ここで私が言う「ヤンキー」とは、ごく簡単に言えば、日本独自の不良文化のことであり、改造車や特攻服、デコトラやデコチャリに代表される「バッドセンスの美学」と、気合いと絆で困難を乗り切り成り上がるという「規範意識」のアマルガムである。より詳しくは拙著『世界が土曜の夜の夢なら』（角川文庫）を参照されたい。

やなぎの演劇では、原作の冷凍トレーラーが毒々しくも美麗なデコトラに置換され、舞台上で見事に「開花」する。これほど中上作品の演出にふさわしい舞台装置もそうはないだろう。ステージトレーラーは、そのまま移動式の路地であり、中上の言う「ウッホ」でもある。中上の「路地」に、ヴァナキュラーな実体はない。それゆえ路地は遍在する。夏芙蓉が香り金色の鳥が囀る、ひとつの「拡張現実」として。

もし路地＝ウツホを根拠づけようとするならば、それは差別となる。しかし、ただ無根拠化するだけではつまらない。あたかも根拠があるかのように振る舞いながら、自らの根拠を根こそぎにするような表現を反復し続けること。それこそが中上作品の軌跡ではなかったか。ここにもフェイクの伝統に依拠しつつ、セルフパロディによって変貌し続けるヤンキー文化との近縁性がみてとれはしないだろうか。

先に触れた拙著『世界が土曜の夜の夢なら』で、私は丸山眞男の著作を引用し、次のように述べた。

彼は古事記を徹底的に読み込んで、「つぎつぎになりゆくいきほひ」の歴史的オプティミズムが日本文化の古層にある、と喝破したのだ（「歴史意識の『古層』」『丸山眞男集 第十巻』岩波書店）。

なんのこっちゃ、と思っただろうか。これは僕なりに〝翻訳〟するとこうなる。要するに「気合いとアゲアゲのノリさえあれば、まあなんとかなるべ」というような話だ。これが日本文化のいちばん深い部分でずっと受け継がれてきているということ。つまり丸山というわが国でも屈指の政治思想家が、まだヤンキーという言葉もなかった戦後間もない時期に、日本文化とヤンキー文化の深い連関をみぬいていた、ということになる。

以下、煩雑さを避けてかいつまんで述べておこう。私は要するに、ヤンキー文化における徹底した「超越（論）性の欠如」を指摘したのだ。

たとえばそこには、西欧的な意味での「永遠」という概念はない。また永遠という超越性を担保とした過去‐現在‐未来という時制の意識も希薄だ。あるのは「いまここ」が「つぎつぎ」と連続していくような時間意識なのだ。この「いまここ」への没入を木村敏に倣って「イントラ・フェストゥム（祭りの最中）」と呼ぶのなら、ヤンキー文化と祝祭性との、あの良く知られた親和性にも納得がいくだろう。

次いで「なる」について。丸山は次のように述べる。「日本神話では『なる』発想の磁力が強く、『うむ』を『なる』の方向にひきこむ傾向がある。それだけ『つくる』論理におけるような、主体への問いと目的意識性とは鮮烈に現われないわけである」（「歴史意識の『古層』」）。「つくる」ならば「誰が」という制作主体が問われるが「なる」にはそれがない。古事記の神々は別の神の身体から茸のように生えてくる。それは神が神を作るというよりは、神が勝手に生成してゆくようなイメージだ。これはまた、先述した「路地の単性生殖性」のイメージにも通ずるだろう。

伊勢神宮が式年遷宮を繰り返し、コピーをオリジナルに置換しつつ現在に至るイメージもこれに近い。オリジンは常に上書きされ、制作の主体は隠蔽される。同様のことがヤンキーのファッションスタイルの変遷にも見て取れる。逸脱と様式化を繰り返しながら、いびつになっていく改造車や特攻服のスタイル。そこではパロディすらも、たちまち起源に取り込まれてしまう。そうやって自前の、あえて言えばフェイクの伝統が捏造されていく。誤解を恐れずに言えば、いわゆる「紀州サーガ」三部作にも、そうした連鎖がみてとれる。中上は批評家の指摘を受けて、それぞれが前作の批評であると述べている。作品の評価すらも取り込んで、それ自体が批評として描かれた作品は、式年遷宮を重ねながら次第にオリジンとはかけ離れていく伊勢神宮のようにはみえないだろうか。

「いきほひ」について丸山は、「葦牙（あしかび）の萌え騰（あが）る」生命のエネルギーから「大地・泥・砂・男女身体の具体的部分が、つぎつぎとなりゆく」という記述を引きつつ、そこには世界を作り出した

「神」も、起源も存在せず、「生成のエネルギー」の連続だけがある、とみなす。その意味で「いきほひ」とは、意味でも象徴でもなく、空虚で純粋な推進エネルギーそのものなのだ。

ヤンキーにおいて「いきほひ」に該当するのは、いうまでもなく「気合い」である。時代が下れば、ここに「アガる」なども加わるだろう。そして中上にあっては、「いきほひ」は「ウツホ」にこもるエネルギー、ということになる。

以上のように、ヤンキー文化においては、一切の「超越（論）性」は機能不全に陥っている。中上世界をヤンキー文学と呼びうるとすれば、それは「不良を描いた」からではなく、かくも徹底した超越（論）性の欠如において、ということになろう。違いがあるとすれば、ほぼすべてのヤンキー当事者は、自らのヤンキー性に無自覚だが、中上は自覚的に超越（論）性を回避した、と言いうる点だ。このような視点に立つと、『化粧』にしても『熊野集』にしても、土着性や暴力性といった類似のモチーフを繰り返し書きながら、最終的には土着にも普遍にも着地しないスタイルが、徐々に錬成されていくさまが垣間見える。神話と伝承を織り交ぜながら、自然主義ともマジック・リアリズムとも異なる特異なリアリティの位相が〝生成〟していく。

「ヤンキー文学」の可能性

ならばこれらの作品群がヤンキー的か、と言われれば、そうだと即答することは難しい。速水健朗が述べたように、いわゆる「ケータイ小説」がヤンキー文学の新たな典型であるとすれば、中上作品はそれらと似ても似つかない（『ケータイ小説的。——〝再ヤンキー化〟時代の少女たち』原書房）。もっとも、ケータイ小説は、ギャルのハードなライフコースに純愛を絡めるスタイルが一般的なので、似ていないのは当然だ。不良を積極的に描くのはヤンキー漫画のほうだが、こちらはどうか。残念ながら、こちらにも類似性はみてとれない。

最大の違いは、中上文学よりもヤンキー文学（漫画）のほうが、〝道徳的〟である点だ。書き間違いではない。ヤンキーとは「不良の道徳」をも意味するからだ。ならば、それはいかなる道徳か。家族と仲間の絆を大切にする。先輩後輩や上下関係を遵守する。筋の通らないことはしない。どんな困難も気合いで乗り越える。おおむねそういった価値規範を、彼らの多くは共有している。

そして、まさにその意味において、中上文学は反道徳的だ。家族も仲間も邪魔になれば殺す。絆など端から信用しない。欲望のままに行動はしても、気合いで頑張ったりなどしない。つまりこういうことだ。中上健次のヤンキー性とは、ヤンキー文化のエートスから、道徳性のみを完全に捨象したものなのである。

あとに残るのは何か。もう一度確認しておこう。それはがらんどうとしての「ウツホ」であり、あらゆる区分と境界が複雑きわまりない相互陥入的な関係におかれ、母と娘の単性生殖が営まれる「路地」であり、このトポスから生成される「つぎつぎとなりゆくいきほひ」である。

そこでは超越（論）性が絶え間なく分泌されてはただちに反転する。メタはベタに、虚は実に、コピーはオリジンに反転する。区分と境界は維持されたまま、界面の表面積が無限に増殖していくような、複雑きわまりない入れ子空間。

『熊野集』や短編「蛇淫」が異型だが、中上はしばしば犯罪に着想を得ていた。それはカポーティのような関心とはおよそ真逆の、あらゆる犯罪を怪異譚や説話と捉えるような彼の姿勢に由来していた。中上のエッセイ「夢の力」には、以下のようなくだりがある。「新聞記事とはそれがどんなに事実に沿って書かれてあっても、小説を書くことと同じ創作の類ではないかということである。（中略）リアリティーは受け手の、あってしかるべきだ、やってしかるべきだという夢の力でしかない」。そしてこの「夢の力」こそが、小説を読む醍醐味であり、彼に小説を書かせる当のものだ、とまで断ずるのだ。

ここで中上の言う「夢の力」を、単に「想像力」と読み替えるべきではない。治療に関わる者にとっては、それはしばしば人生の根幹を支配する「物語（ナラティブ）」と同義に響く。ただしナラティブとは、起承転結の構造を持った記述のことではない。ここで言うナラティブとは、一種の世界観を意味しており、そこからまた無数の物語が生成されるマトリックスのような概念である。ナラティブは真偽とは別の位相から人を魅了し、人を動かすのだ。

中上にあってはそのナラティブこそが路地＝ウツホなのだった。そこでは説話空間と現代の日常が、事件と怪異譚が、性愛と暴力が、それぞれの差異を維持したままで相互陥入し、アスペクト的に入れかわる。

たとえば短編「葺き籠り」においては、こうした転換の仕掛けが随所にみてとれる。渡邊英理によれば、本作においては金掘部落に〈侵入〉し、現金強奪をもくろむ犯罪者・菊雄という主人公に、共同体の創始者にして山賊の大男、「ヒコソ」の伝説が重ねられ、さらに古事記に記された神武東征（神武天皇が熊野に〈侵入〉する）が重合されているという（渡邊英理「媒介者の使命――中上健次『熊野集』『葺き籠り』」『日本文学』第五五巻二号、二〇〇六年）。

天皇の物語は措くとしても、菊雄とヒソコの物語は、ほとんど無媒介に並べられ、説話的にも自然主義的にも読める。となれば、こうしたナラティブのありかたが、「紀州サーガ」に直接的に接続していくのはごく自然な成り行きである。

むろんこうした物語空間にあって、中上自身も無傷ではいられなかった。紀和鏡によれば、彼の現実は、常に物語からの浸食を受けていたからだ（紀和鏡「家族――〝事実〟と〝小説〟との差異」『國文學 解釈と教材の研究』二〇〇六年一二月号）。自分も兄と同じく二四歳で死ぬに違いないという呪縛にも等しい確信、娘の誕生による救済、路地のモデルの場所が消滅することによる鬱状態、映画「火まつり」のモデルとなった事件による鬱からの解放……いかなる他者をも歓待する中上のスタイルは、自ら築いた物語からも多大な影響を受け続けたのだ。

「ヤンキー文学」の可能性とは、あらゆる差異を温存しつつ、いかなる超越（論）性も解体してしまう、というその構造特性に胚胎している。彼らの道徳なるものが、おおむね家族や仲間の中間集団の規範に寄り添うのは、道徳を規定する超越性がそこには欠けているからだ。かれらのファッションのバッドセンス性は、反省的判断の蓄積が規定的判断に接近した結果もたらされたものだ。しかしそこには、規定的判断に期待されるような普遍的基準（＝超越性）は存在しない。「ウッホ＝路地」から生まれた中上文学は、被差別部落問題の背景にある天皇制という超越性をも世俗化し、相対化とは別の形で、差別＝天皇を無根拠化する。超越性によって安定する「四」の構造と、超越性を流動化する「三」の構造の違いである。自分の小説にそういう力が秘められていることを、中上は早くから確信していた。彼の決意表明ともとれる、美しい言葉を引用しよう。

被差別地なんて、そんなもの、差別されるいわれがないんだよ。ほら、見てごらん、何もない、何もいわれがない。だけど、「いわれがないだろう?」と言いながら、美とか文学とか芸術というものの本質に差別があるんだ、と見せつけたいんです。その芸術の中の差別は、差異と言葉を変えるべきかもしれませんが、その土地は人を差別する特別な神聖空間なんだ、と見せつけたい。（渡部直己によるインタビュー「シジフォスのように病と戯れて」『中上健次集十』）

本論における私の目論見は、中上が体現してきた「ヤンキー文学」の可能性を構造論的に提示しつつ、彼の小説を超越（論）的に批評することが困難かつ無意味な営為であることを明示することだった。本論がまさにそうした批評の試みを反復しているのではないか？　という批判については甘んじて受けよう。精神科医としての私は、すでに中上から、治療的対話の実践に関わる重要なアイディアを受けとっている。この点については機会を改めて論ずることを約束しよう。ともあれ私は、決して高みから中上論を展開したのではなく、むしろこの文章を書く過程の中で、中上から着実に浸食されていったのだ。

二〇一七年の夏、私は渡部直己、いとうせいこう、奥泉光らと二度目の熊野詣でにおもむき、由緒正しい文芸サークル「熊野大学水産文芸部」の活動として、紀伊勝浦のとある海岸で一日漁労にいそしんだ。その後痛飲したまま夜行バスに搭乗するという愚行によってエコノミークラス症候群に罹患し、急遽九日間の入院を余儀なくされた。私はこのアクシデントを、中上がくれた束の間の休暇であると受け止めた。

病床にあって、あらためて、中上がなした前人未踏の達成を思った。いつの日か、どこからか、反道徳的な「大男」（「大女」かもしれない）が現れて、中上が残した「ヤンキー文学」の衣鉢を継承してくれる。そんな日を、わたしは密かに、心待ちにしていたのだ。

入れ子問題、あるいは新しい「ことばの社会」

冴えないことと、ぱっとしないこと

川上未映子は脱構築する。何を？「女性」を。いや「フェミニズム」を。いや「異性愛主義」を。あるいは、そのすべてを。

川上の作品は、おそらく彼女の公的イメージとはだいぶ乖離している。「美貌の女流作家」の作品に期待されるであろう、強く知的な女性の活躍も、劇的な（あるいはいびつな）恋愛も、めくるめく性愛描写も、そこには欠けている。そんなのはエンターテインメントの領域だろうと言うのなら、まだ欠けているものがある。それは「女性の身体性」を前面に出した描写であり、「女性ならではの共感」のツボを突いてくるトピックであり、しばしば女性の作家が自家薬籠中のものとする「関係の自律性」に依拠した物語展開である。そう、彼女の作品世界はおどろくほど「冴えない」し、一貫して「ぱっとしない」。これはいささかも批判ではない。あきらかに川上は、強い意志を持って、この世界における「冴えない」「ぱっとしない」存在に繊細な陰影をもたらす光を当てようと試みている。

実質的な小説デビュー作である『わたくし率 イン 歯ー、または世界』を皮切りに、学校でひどいいじめにあう少年少女の物語『ヘヴン』、それぞれに個性的ではありつつも、小さな不幸や悩みを抱えた小学生の世界を描く『あこがれ』、ぱっとしない主婦がぱっとしない老女（ウィステリア）の人生を幻視する『ウィステリアと三人の女たち』……。

その、ひとつの極めつけが「すべまよ」こと『すべて真夜中の恋人たち』だろう。この小説の一つの画期は、とことん「弱い」女性をヒロインに据えた点だ。「弱い女性」などむしろ小説の定番ではないか、との異論は認めない。ヒロインの強さには原則として以下の四つのベクトルがある。スペック（社会的地位、頭脳、身体能力）の強さ、欲望ないし主体性の強さ、容姿の強さ（美貌とは限らない）、そしてキャラの強さ。ちなみに通常の意味での「弱き女」は、その弱さゆえに、キャラとしての強みを獲得する。『細雪』の雪子のように。

ともあれほとんどのヒロインは、そのいずれかの「強さ」を所有しているものだが、本作の主人公である入江冬子には、そのほぼすべてが欠けている。校閲の才能にはいくらか恵まれていたかもしれないが、唯一無二の特殊能力というわけでもない。たとえ容姿に恵まれずスペックが低い場合でも、キャラが強ければすべてを挽回できるのだが、驚くなかれ、彼女はキャラもひどく弱い、つまり曖昧だ。にもかかわらず、先に述べたあらゆる「強さ」を独占しているかにみえる冬子の友人・石川聖よりも、冬子の寂しげなたたずまいがいつまでも印象に残るのだ。
そうした小説を書き続ける川上未映子の意図やいかに。実は、一つの明晰なマニフェストがすでに書かれていた。『早稲田文学増刊 女性号』の巻頭言に。

「どうせそんなものだろう」、そう言ってあなたに蓋をしようとする人たちに、そして「まだそんなことを言っているのか」と笑いながら、あなたに背を向ける人たちに、どうか「これは一度きりのわたしの人生の、ほんとうの問題なのだ」と表明する勇気を。それが本当のところはいったいなんであるのかがついぞわからない仕組みになっている一度きりの「生」や「死」とおなじように、まだ誰にも知られていない「女性」があるはず。まだ語られていない「女性」があるはず。そして、言葉や物語が掬ってこなかった／こられなかった、声を発することもできずに生きている／生きてきた「女性」がいる。そしてそれらは同時に、「語られることのなかった、女性以外のものやできごと」を照らします。

男性原理対女性的統辞

果たして本当に、「まだ誰にも知られていない『女性』」は存在するのだろうか。存在可能性はただちに記述可能性を意味するが、そうした可能性はどこまで保証されうるのか。

大前提として、「語る存在」としての人間は、素の状態では全員が「男」であるということを確認しておこう。これは言語の構造が徹底して「ファルスの論理」で貫徹されているためで、精神分析家ラカンの、あの悪名高い、しかし（彼の論理圏内では）反証困難な命題としての「女は存在しない」とは、そういう意味でもある。

ラカンが慎重に錬成した「ファルスの論理」をファルス中心主義と切り捨て、言語には男も女もない、と批判するのはいともたやすい。しかし、そうした反論はむろん想定の範囲内であり、そのロジックそのものがいっそうファルス強化に寄与する結果をもたらすだろう。それゆえ語る存在でありながら、なおかつ「女性」であり続けるには、常に「女」を演じ続けなければならない。その意味で、すべての女は「演じられた女」ということになる。

これと全く同じ意味で、男性に対する抑圧は、男性性の価値そのものをむしろ強化してしまうが、女性に対する抑圧は、しばしば女性性そのものへの否定の契機をはらんでしまう。それゆえダメな男性は、単に「モテない男」になるだけだが、ダメな女性（＝演じられない女性）は「なんだか得体の知れないもの」になってしまうリスクを抱え込む。

「『得体の知れないもの』とはなにか？　それは『化け物』のことではない。それは例えば、皇帝に帰属していたり、狂ったように震えていたり、無数だったり、立派な駱駝の刷子をひきずっていたり、いましがた壺を割ったばかりだったり、遠くから見ると蝿に似ていたりするようなたぐいのものだ。要するに分類不能であり、さらに言えば翻訳間違いであり、実際のところ原典からして真偽のほどがうたがわしい、というような何ものかである」(斎藤環『関係の化学としての文学』新潮社)。

ある種の「頽落形態」における、こうした非対称性こそが、ヘテロセクシズムにおける最大の問題ではないかと、かねてから私は考えていた。女性が「得体の知れないもの」に頽落してしまうことを防ぐには、「演ずる努力」を必要としない女性性の領域が確保されなければならないはずだ。そうした閉域の一つに腐女子文化が挙げられるが、しかしあえて言えば、腐女子はヘテロセクシズムという広壮な建築の一角に間借りしている〈開かずの間〉の住人のようなところがあって、対等性という点については端から諦めているようなところがある。

かつて、この、あまりにも強力なファルスの論理に抵抗を試みたフェミニストがいた。ラカンに師事した哲学者、リュス・イリガライだ。彼女は、ラカン理論のもとでは女性が言葉を話すことが男性的体系への従属になってしまうことをふまえ、「女性的に語ること」を模索しようとした。彼女は「もし私が話したり書いたりして明らかにしたいと思うことが、この『私はひとりの女性です』という確信から出発しているのだと主張すれば、私は再び男根支配的な言説の中に入ってしまうでしょう」と述べ、「女性的統辞」には「主体(主語)」も「客体(目的語)」もないとした(リュス・イリガライ『ひとつではない女の性』勁草書房)。やや余談めくが、イリガライは女性器を「絶え間なく口づけしあっている二つの唇で出来ている」ものとして語る。それが女性の自己愛の形式であると。川上の人物描写には、しばしば「唇をあわせる」という印象的な表現がみてとれるところから、こうした連想が働いたのかもしれない。ところで、残念ながらイリガライが女性的統辞を完成したとの評価は寡聞にして聞かない。

乖離した必然性

ここで川上未映子の文体に戻ろう。彼女が、ある種の名状しがたい感覚について描写するさいに発揮するその技巧は、読んでいて軽い恍惚に誘われるほどみごとなものだ。以下にいくつか引用しておこう。

そこはすごく広々とした、なんていうか、うさぎの耳みたいにすてきなところで、息をすれば息をするだけどんどんむこうがのびてゆくのだ。たてにも、横にも、ぐんぐん広がって、海の真んなかとか空のはしっこなんてみたことないけどでもたぶんそういう場所で吹いているような風がどこからともなく走ってきて、ぼくをふわっとくるんでしまう。

猫を抱っこするときにさわるお腹の、やわらかいたよりなさ。ジャムの瓶にひとさし指を入れてかきまぜて、それからぜんぶの指をゆっくり沈めていって手のひらでにぎってみるあの感じ。足の甲でこすってみる毛布。いちごの底にたまった練乳を飲むときのべろ。ホットケーキの茶色にとけてゆくときに透明になるバターの色。(『あこがれ』)

これなどはまさに、すべての人の「うさぎの耳」観を永久に更新してしまうような、圧倒的なまでの「うさぎの耳」性が描かれていて、これまでの人生において、いったい私は「うさぎの耳」に十分配慮してきたかどうかについて内省を迫られるほどの描写と言えよう。

十二月の冷たい空気のなかで、何千何万という葉のすべては濡れたような金色に輝き、その光りかたはまるでその一枚一枚がそれぞれの輝きを鳴らしながら、僕のなかへとめどもなく流れこんでくるかのようだった。僕は息をのんで、その流れに身をまかせるしかなかった。一秒がつぎの一秒へたどりつくそのあいだの距離が、なにか大きなものの手によってそっと引きのばされているのを僕は感じていた。息を吐くことも、まばたきをすることも忘れ、僕は黒々とした鮮やかな木の肌にもぐりこみ、その肌ざわりを身体のいちばんやわらかな場所で感じとることができた。黄金に鳴りつづける葉のすきまにゆれる光の粒子をひとつひとつ指さきでつまんで、そのなかに入ることもできた。(『ヘヴン』)

おそらくは銀杏の並木道であろうこの箇所の描写から、私は宮沢賢治の「真空溶媒」を連想せずにはいられなかった。世界の光彩によって圧倒されるかのような描写は川上の真骨頂でもあるが、この構造は後述する「入れ子」問題にも絡んでくる。

最初の白いページをひらいたそこに、すべて真夜中の恋人たち、と書いた。それはただ、わたしのどこかに浮かんだ言葉だった（中略）それが何なのか見当もつかない、何のための言葉なのかさっぱりわからない、けれどわたしの胸にやってきてそれから消えようとはしないその言葉を、わたしはじっとみつめていた。（『すべて真夜中の恋人たち』）

ひとつの言葉を、まるで風景のように描写すること。「すべて」でも「真夜中」でも、あるいは「恋人」ですらなかったかもしれないこの小説に、なぜこのタイトルがつけられたのか。そこには英語塾の教師だった日本人の老女が、なぜか「ウィステリア」と名付けられてしまうような、乖離した必然性がある。まったく無関係のふたつのものに、そうでしかありえないような関連性を見出す／作り出すことが小説の機能の一つであるのなら、ここにはまさしく「小説的瞬間」がある。

「入れ子」問題

川上の小説では、しばしば思いがけない局面で、むきだしの「男性原理」が展開される。『ヘヴン』における百瀬、『すべまよ』における石川聖、『あこがれ』におけるヘガティーの異母姉アオさん、『夏物語』にあっては反出生主義者である善百合子などがその体現者だ。お気づきのように、「男性原理」、すなわちまっとうで誰にでも届く論理的な言葉で誰かを追いつめるのは、しばしば女性たちの役割だ。彼らの言葉は一見、反論する余地がないほど苛烈に研ぎ澄まされている。そして実際に、彼らは少しも反論されることはない。しかし彼らの存在は、川上の小説のなかでしばしば「浮いて」しまう。冴えない、ぱっとしない世界に向けて、彼らが「正しい」ことを言い募るほど、「ほんとうの問題」からは遠ざけられていく。川上の小説の多くが、そういう構造を持っているからだ。

ならばそれは、いかなる構造か。そのヒントとなる言葉が「入れ子」だ。

すべての作品とは言えぬまでも、入れ子問題は、川上作品を語る際に、避けては通れない問題である。それがもっとも手っ取り早くみてとれるのは、芥川賞受賞作『乳と卵』だろう。

上京してきた三十九歳の姉と、小学生の娘。姉は豊胸手術をもくろみ、娘はかたくなに緘黙する。語り手の「わたし」はどうかと言えば、東京での仕事が「なにひとつうまくゆかぬ」せいか、いささか記憶が混乱気味だ。ここには、身体と言葉を巡る、三者三様の苦しみがある。

緘黙を続ける小学生の緑子は、女性化していく自分の体への違和を、こんなふうに記す。

あたしは勝手にお腹がへったり、勝手に生理になったりするようなこんな体があって、その中に閉じ込められているって感じる。

あたしの手は動く、足も動く、動かしかたなんかわかってないのに、色々なところが動かせることは不思議。あたしはいつのまにか知らんまにあたしの体のなかにあって、その体があたしの知らんところでどんどんどんどん変わっていく。

こうした「容れ物としての体」のモチーフもまた、川上作品においては、いくども反復されてきた。なにしろ、彼女自身が次のように述べている。「『服は脱げても体は脱げない』というのが一時期、私のキャッチコピーだったんですけど（笑）、男、女にかかわらず体はどうしても変えられないということは不思議な感じがします」（川上未映子・芥川賞受賞者インタビュー『文藝春秋』二〇〇八年三月号）。

自身の身体を「容れ物」にたとえること。それは「私（身体）の中の私（主体）」を想定するという意味ではホムンクルス的な無限後退（私の中の私の中の私……）の契機にもなりうるだろう。この種の無限後退の鮮烈なイメージは、すでにデビュー作である『わたくし率 イン 歯ー、または世界』においてぞんぶんに描かれている。

『わたくし率～』のヒロインは、自身の職場である歯科治療室を口の中にたとえる。診療台は巨大な舌だ。

あの大きな舌のうえに青木が横たわって、そして口をあけて、奥歯を見せる。それはなんて素敵だろうと思うのです。大きな口の中の舌のうえにもうひとつ口が現れます。そしてその口の中にもう一枚の小さな舌。

一人称なあ、あんたらなにげに使うてるけどなこれはどえらいもんなんや、おっとろしいほど終りがのうて孤独すぎるもんなんや、これが私、と思ってる私と思ってる私と思ってる私と思ってる私と思ってる私と思ってる私と思ってる私と思ってる私!! これ死ぬまでいいつづけても終りがないんや、私の終りには着かんのや、ぜんぶが入ってぜんぶが裏返ってるようなそれくらい恐ろしいもんなんや私っていうもんは考えたら考えるだけだだ漏れになっていくもんなんや。

まさにこれこそがホムンクルスの無限後退であり、入れ子状の分裂である。私を別の私が包み、私の中にも別の私がいる。それというのも、「私」という一人称が、常にすでに二者関係をはらんでいるからだ。このとき「私」が主語として機能する限り、入れ子は無限後退の地獄しかもたらすことはない。しかし、ひとたびこの入れ子から「私」を引けば、その様相は一変するだろう。『乳と卵』で緑子は、卵子について考える。「生まれるまえの生まれるもんが、生まれるまえのなかに」ある不思議。緑子は言葉についても考える。それは「言葉のなかには、言葉でせつめいできひんもんは、ないの」という不思議に似ている。身体を「私」の「容れ物」と考えることは、身体の有限性ゆえに、「私」の主語性と、そこにはじまる無限後退の苛烈さを緩和してくれる。たとえばこんなふうに。

あのとき、舌のうえに青木がおって、その青木の口の中にも舌があって、見てるだけで誰もおらん世界が優しく折りたたまれていくみたいやった、誰もおらん世界がそっと片づけられていくみたいやった。(『わたくし率〜』)

それゆえ川上が大阪弁を全開させるとき、世界はふいに入れ子状の優しさで包まれる。

自分がおっきくてぶあつい着ぐるみのなかにおって、昔はなんかそれが窮屈っていうか、しんどいときもあってんけど、いまはそのしんどさも感じひんくらい、平和な感じがするねん。

(『夏物語』)

なぜなら川上の小説中で、大阪弁のはらむ身体性こそが「私」の容れ物として機能しているからだ。このことは川上作品中、男性原理的な「正しさ」の語り手が、ほぼきまって端正な標準語で語ることとはっきりとした対照をなしている。

新しいことばの社会

そしてこのことが、川上の表現において、具象と抽象の幸福な――としか言いようがない――共存を可能にしている。最も典型的なのは、傑作散文詩「戦争花嫁」(『水瓶』所収)だろう。荒川洋治は、本作を絶賛しつつ、次のように述べた。

戦争花嫁という単語のまわりにいろんなものが自発的に集まってきて、とけあい、話しあい、ときにはそむきあったりしながら、詩がつくられているのだ。歴史とも時代とも無縁なのに、新しいことばの社会がつくられているのだ。(「川上未映子の詩」『文學界』二〇一九年八月号)

「新しいことばの社会」という、およそ詩にとって最上級ともいえる賛辞が与えられた本作は、その本来の意味とは乖離した「戦争花嫁」という言葉から、論理でも連想でもない不思議な力で蝟集した色々な言葉やイメージによって織りなされていく。誤解を恐れずに言えば、川上にとってはこの点において、「詩」と「生殖」は同等の営みなのではないだろうか。集大成とも呼ばれるべき傑作『夏物語』によって、この私の疑いは確信に変わった。

前半は、芥川賞受賞作『乳と卵』の「リブート」としてはじまる。ただし、本作の主人公の夏目夏子は売れない小説家という設定になっている。真夏のある日、彼女のつつましいアパートを巻子と姪の緑子が訪ねてきてからの顛末は『乳と卵』と同じ。夏子は心理的な理由で性行為ができず（この辺の経緯は「すべまよ」にも似ている）、パートナーもいない。小説の執筆も停滞気味だ。そんな夏子が、巻子にとっての豊胸にも似た奇妙な情熱によって、ＡＩＤ（非配偶者間人工授精）に取り憑かれてしまう。

本作で興味深いのは、これまでの作品ではやや単調にみえた「男性原理」のロジックが、格段に進化している点だ。その語り手として、四人の女性が登場する。夫婦や親子関係に違和感を感じつつもそれを捨てられない主婦、紺野りえ。男女は決してわかりあえず男は不要と主張するシングルマザーの作家、遊佐リカ。子供なんかよりも小説を書けと挑発する独身の編集者、仙川涼子。ＡＩＤ当事者で、父親から性的虐待を受け、反出生主義を主張する善百合子。彼女たちの語りは、いずれも同水準の正しさを持っている。「女性ならではの」共感と痛み、そして怒り。彼女たちの言葉がそうした感情に支えられて普遍に接近するほど、それを根底で支えている「男性原理」が前景化してくる。

とりわけ重要なのは、善百合子が体現する「反出生主義」だ。凄惨な性犯罪の被害者である彼女がそれを主張することは圧倒的に「正しい」。一定の確率で苦痛に満ちた生をもたらす可能性があるのに、あえて子供を作るのは親のエゴではないか。彼女の主張は決して論駁されることはないだろう。しかし、あえて言わねばならない。レイプ被害を受けた女性が「戦う女」になって男性に対抗するとき、その身振りがすでに男性原理の反復であることを。それゆえ「彼女」が男を打ち負かすたびに、男性原理そのものは強化されてしまうということを（もちろんそれは「反出生主義」それ自体とは無関係な話である）。

夏子が子どもに「会ってみたい」というのも、実の父に会ったことがない逢沢が子どもをつくろうとするのも、そうすることでしか、自分の親や祖父母に会えないからかもしれないですね。でも、生まれてきた子どもというのは、その人たちとはまったく関係ないんですよね。（「川上未映子が提示した、正解がない家族関係を結ぶときの大切な指針」『She is』 https://sheishere.jp/interview/201906-miekokawakami02/3/）

そう、この「無関係」。ＡＩＤゆえに夏子と逢沢が「関係」しなかったように、夏子はわが子とも「関係」しない。彼らは関係しないいまま、入れ子のように包摂し合う。無関係と入れ子。そのふたつが、圧倒的な光に満ちたラストシーンで交錯する。

その赤ん坊は、わたしが初めて会う人だった。思い出のなかにも想像のなかにもどこにもいない、誰にも似ていない、それは、私が初めて会う人だった。赤ん坊は全身に声を響かせ、大きな声で泣いていていた。どこにいたの、ここにきたのと声にならない声でよびかけながら、わたしはわたしの胸のうえで泣きつづけている赤ん坊をみつめていた。(『夏物語』)

前代未聞の出産シーンだ。自身は帝王切開で出産した(『きみは赤ちゃん』)という川上の実体験は、このシーンにはいささかも反映されてはいない。特筆すべきは、そこに「母性」がほぼ介在していないことだ。相似、臍帯、身体的親密さ、所有、血縁、家族、性愛、責任、罪悪感、そして「本能」。そうした一切に依拠するあの「母性」こそが、この場面に欠けた当のものであるということ。

かくして川上は「母性」を脱構築した。入れ子の内側から内破したのだ。それは赤ん坊を、あたかも無関係の「他者」のように処遇して、それゆえにこそ「会いたい」と願うことだった。「どこにいたの、ここにきたの」は母の言葉ではない。どこか遠くからやってきた他者を歓待する言葉だ。母と子は、ただの入れ子。身体の入れ子であり、ことばの入れ子であるということ。そのような〈母子になること〉を通じて、母性とは別のしかたで、夏目夏子の主体性は回復される。それははじめて、「男性原理」の外側で。

川上未映子は脱構築した。まずは「母性」を。それにつらなる「女性」と「異性愛主義」を。そして付け加えるまでもないことだが、ここに「非常な明るさの気分」をもって示されているのは、かつてイリガライが夢想したあの「女性的統辞」と、そこから繁茂し拡散する「ことばの社会」、そのかがやかしい端緒にほかならない。

彼女と異性愛主義の闘いにおいては「発達障害」に支援せよ

所有原理と関係原理

村田沙耶香は闘っている。何と？　異性愛主義、ならびにそれに由来する性交原理主義と。初期作品『星が吸う水』においては、性行為の形式の自明性が徹底した懐疑にさらされ、芥川賞受賞作『コンビニ人間』においては、コンビニを偏愛するアセクシュアル（無性愛）的な主人公を通じて、異性愛主義が「最も広汎に共有された狂気の一種」である可能性を暴いて見せた。

そして本作『消滅世界』である。本作は、いわば彼女の闘いの集大成といった趣を持つ傑作である。本書への反響として、女性の側からは主として「ユートピア小説」、男性からは「ディストピア小説」といった評価があったと側聞するが、さもありなん。こうした評価の乖離（かいり）ぶりについての理由は後述する。

フェミニストSFと呼ばれるジャンルがあり、ル・グィン『闇の左手』やジョアナ・ラス『フィーメール・マン』などが知られる。日本では倉橋由美子『アマノン国往還記』や萩尾望都『マージナル』などがこれに該当するだろう。精神科医として興味深く感ずるのは、女性の書き手が、両性具有やジェンダーレスの社会を想定する傾向が強い点である。もちろんここにはジェンダーギャップ批判といった政治的な意図がひそんでいるのだが、おそらくそれだけに還元できる問題ではない。

『消滅世界』で描かれる世界、とりわけ実験都市である千葉の「楽園（エデン）システム」は、どこか『マージナル』を思わせる。そこでは男女がともに妊娠可能性を与えられ、コンピュータの指示のもとで生殖はコントロールされている。生まれてきた子は社会の共有財産として「子供ちゃん」と呼ばれ、すべての人々はその「おかあさん」として「子供ちゃん」に愛情を注がねばならない。そう、この社会ではすべてが女であり、すべてが母なのだ。それは精神分析家ラカンによる指摘「女性は存在しない」を反転させた社会、すなわち「女性しか存在しない」社会であり、一種のジェンダーレス社会でもある。

ジェンダーレス社会が女性にとってユートピアとみなされるのはなぜか。一言で言えば、ヘテロセクシズム（異性愛主義）の根源が男性原理にほかならないからだ。まさにこの点に、先に述べた「評価の乖離」の一因がある。どういうことだろうか。

異性愛主義は、すべての人間にとって根源的なものである。この点をはじめて指摘したのはフロイト＝ラカンの精神分析なのだが、ここではあえて精神分析用語を用いずに説明してみよう。

以下は精神分析において「そういうことになっている」という意味では一種の神話なのだが、それも「異性愛主義という神話」のなりたちを理解するための補助線、ということでご寛恕願いたい。

生まれたての赤ん坊が、最初に出会う「差異」は、ファルス（ペニス）の有無という意味での「性差」である。「差異の認識」は言語能力の起源でもあるので、「語る存在」としての人間は、常にすでに二元論的な性差のもとで性化された存在となる。人間の存在論から「性」を削除することはできないし、知的な操作で「性」を相対化することもできない。

私も含めほとんどの人にとって性的な自己開示のハードルが高いのもこのためだ。性欲の多寡やセクシュアリティのありように関わらず、性は人の存在における根源的な要素なのである。なんでもセックスに関連づけたフロイトの汎性説は今や顧みるものとてないが、その本質的な意義はいまだ失われていない。すべての人間は「性的人間」なのである。

詳細は省くが、ジェンダーにおける性差を決定づけるのは「子宮の有無」ではなく、視認できる「ファルス（ペニス）の有無」である。先述したとおり、ファルスは人間に言葉をもたらす原器的な〈記号〉であるがゆえに、男の欲望は徹底して言語的・観念的なものとなる。この欲望こそが、文明の進歩の大部分を支えてきた。男性の欲望は、第一に対象を所有することに向かう。さらには対象を視覚化し、言語化し、さらに概念化してこれを意のままに操作しようとすることへ向かう。こうした、対象との距離を維持しながら操作しようとする欲望の形式を私は「所有原理」と呼ぶ。

これに対して女性の欲望は「所有」よりも「関係」に向かう。女性は対象を観念として所有しようとしない。むしろ女性は対象をまるごと受け入れる。極論すれば対象に「なろう」とする。関係への欲望は、本質的に受動的なものであり、対象と身体的につながること、一体化することへの志向をはらんでいる。まず対象をまるごと受け入れた後で、女はみずからの欲望を発見するのである。こうした女性的欲望の形式を「関係原理」と呼ぶ。

この違いが端的に表れるのは「おたく」と呼ばれる人々の振る舞いである。一般的傾向として、男性おたくは二次元美少女のビジュアルにフェティッシュを感ずる。一方女性おたくの多くを占める「腐女子」たちは、仮想空間において男性キャラ同士の恋愛関係を夢想することに血道を上げる。これが典型的な「所有原理」と「関係原理」の差異である。

性行為は、こうした男性の「所有原理」と女性の「関係原理」のすれ違いとして起こる。男性にとっての性交は、快楽であると同時に所有ないし征服のためのほぼ唯一の儀式でもある。性交後に態度が冷淡になる男性が多いのは、要は「釣った魚に餌はやらない」ということだ。これに対して女性にとっての性交は、関係原理を満足させるさまざまな行為の中の一つでしかない。それゆえ性愛関係＝性交という「性交原理主義」は、男性の所有原理に由来する。性愛関係を渉猟する「肉食系女子」がもしそういうキャラをあえて演じていないとすれば、彼女は異性愛主義に過剰適応した結果、男性的な「所有原理」が転移した存在、ということになるだろう。

性愛のメカニズムと男女差については以上の通りである。頑迷と言われようと、私は性愛が人間の根源的要素であることをいまなお確信している。もし人類から性欲が消えたなら、あらゆる欲望も消滅し、ヒトはヒトの形を失うだろう。その意味で昨今しばしば指摘される「若者のセックス離れ」は単なる欲望の否認としか思えないし、性欲を単に相対化しようとする言説のほとんどは短慮のそしりを免れない。ドゥルーズらの言うフロイト批判としての「n個の性」の可能性についてもはなはだ懐疑的だ。つまりそれほどまでに、異性愛主義の批判は困難なのである。

狂気としての異性愛主義

村田沙耶香の闘いは、その意味でまさに戦略的だ。彼女は性を否認しない。安易な相対化も試みない。人間が性的存在であるほかはないという前提は維持したまま、異性愛の自明性を解体しようとする。これは従来のフェミニストSFなどにはみられなかった戦略だ。

本作『消滅世界』においては、なによりもまず「ロマンティック・ラブ・イデオロギー」が徹底的に解体される。これは人間の性行動の規範を「結婚において愛と性が一致すること」に置く〈思想〉だ。かつてのイエ制度の維持を優先していた結婚の形態を、一気に恋愛結婚主体のものに変えてしまったのがこの思想である。

本作において私が最も感銘を受けたのは、夫婦間の性行為を「近親相姦」に位置づけるアイディアだ。たったこれだけの仕掛けで、結婚において自明のごとく統合されていた「愛」「性」「生殖」がばらばらになる。この解体は性行動にも波及する。性行為と生殖が切り離された世界においては、女性器に男性器を挿入するという性行為の自明性も失われる。だから主人公の雨音には、自分が恋したキャラクター・ラピスと性行為することが可能になるのだ。

本作の仕掛けはこれだけではない。性行為の自明性が失われた世界で、雨音はまるで、幼児期に母親から埋め込まれたトラウマを反復するように、ヒトと性行為を繰り返す。はじめは中学のクラスメイト、水内くんと。そして同じマンションにすむ恋人、水人と。そしてついには……。

作者によって入念にほどこされた異化効果のもとで、本作における雨音の「普通の性行為」が、ある種の狂気にドライブされた倒錯的営為にみえてくる。彼女は言うのだ。「洗脳されてない脳なんて、この世の中に存在するの？　どうせなら、その世界に一番適した狂い方で、発狂するのがいちばん楽なのに」と。

この問いは、彼女の母親が捨てられなかった異性愛主義、およそ合理的根拠には欠けるとしか言いようのない「ロマンティック・ラブ・イデオロギー」につきつけられた鋭利な刃だ。単なるセクシュアリティの多様性を言うだけでは到底たどり着けなかった、「狂気としての異性愛主義」のイメージ。なぜこんなことが可能だったのか。

彼女はある対談で、自分は性の目覚めが早かった、と述べている（千葉雅也、村田沙耶香、松岡正剛「来たるべきエロス」『STUDIO VOICE』Vol.411 二〇一七年一〇月発行）。「達する」すなわちオーガズムの感覚を早い時期に自覚していた、とも。そんな彼女が理想とする性の形は次のようなものだ。

「とくに入れる必要のないものを体に入れようとしてみたり、とくに交わる必要のないものと交わってみたり、しかもそれを不思議な体験、変わった体験として、いろんな人がおしゃべりしているような、それが自分にとっての理想郷なのかもしれません」。

これではっきりした。おそらく彼女の戦略は、性愛に対して「発達障害」的な視点をとることだ。

これは言い換えるなら、性愛にまつわる隠喩的な要素を徹底的に削ぎ落とし、性愛に対する合理化を徹底してみせることだ。セックスは何のためにするのか？　結婚の証（あかし）？　愛の確認？　快楽を得ること？　でも、そういうことの一切をセックスに象徴させようとするから、不倫や離婚や中絶といった、およそ無意味な苦しみが一向に終わらないのではないか？　この合理的な指摘は、「大人の事情」をわきまえようとしない子供のまっすぐさに溢れている。そう、その意味で私は彼女の戦略を「発達障害」的、と呼ぶことにしたのだ。

それだけに「あの結末」は衝撃的だ。ある種の合理性をきわめた果てに出現するあのシーンは、グロテスクなディストピアにも、すべてが溶け合うユートピアにも見える。なによりの驚きは、あの発達障害的な戦略が、作者にとって生得的な身振りではなく、自身の性愛感覚すらも批評的に捉える知性のもとで採択されたとおぼしいことだ。

村田沙耶香の闘いは続くだろう。すでに前人未踏の領域にまで展開されたその闘いの最前線は、これからも彼女自身の手で拡大されていくのだろう。それでもわれわれが異性愛主義や家族主義を手放すことはないだろうが、彼女の問いはそうしたイデオロギーに揺さぶりを掛け、少なからぬ亀裂を走らせることになるのは間違いない。

二人であることの病い？

二者関係から抜け出す

いきなり本書とは無関係な話題で恐縮だが、私は現在、フィンランドで開発された「オープンダイアローグ」という治療法の普及啓発に取り組んでいる。これはどく簡単に要約すれば、対話の力で精神病を治そうというものだ。

この手法は、通常の精神療法とは異なり、治療者が複数、クライアントも複数が参加する。あえて診断も分析もせず、ひたすら対話をポリフォニックに展開していくことだけを考える。すると、まるでおまけのように、治癒が起こってしまうというのだ。

詳細については拙著『オープンダイアローグとは何か』（医学書院）を参照されたい。私にとって衝撃だったのは、この手法を深く知れば知るほど、従来の治療者と患者が一対一で行う「個人精神療法」のスタイルが〝異常〟に思われてきたことだった。

そう、一対一の「二者関係」はおそろしい。それが「夫婦」であれ「親子」であれ、あるいは「師弟」であれ「治療」であれ。その関係は依存と攻撃性をもたらし、愛と憎しみの激しい両価性を経てDVや虐待の温床となり、治療にあっては「転移」や「逆転移」といったやっかいな感情を生じさせる。

青山七恵の新作長編『繭』は、このような「二人であることの病い」に正面から取り組んだ意欲作である。

主人公である舞は、美容師として念願だった自分の店をもち、専業主夫の夫に支えられ、はたからみれば幸せな結婚生活を送っていた。しかし家庭では、些細なことで愛する夫に暴力を振るい、傷つけてしまうことを繰り返していた。ある晩、夫を殴打し部屋を飛び出した舞は、帰らぬ彼をひとり待ち続けている希子と出会う。希子もまた、報われることの少ない彼との二者関係に苦しんでいた。

舞と夫であるミスミの関係は複雑だ。暴力を振るうのは常に舞のほうなのだが、どういうわけか、いつも舞のほうが弱者に見えてしまう。ミスミは決して舞に手を挙げることはないが、一方的な被害者にもみえない。

ミスミが舞に断りなく本棚を買うエピソードがある。舞の了承を得ずに買ったその本棚は、舞の好みにぴったりだった。しかし、そこに置かれたサボテンの鉢をいつ買ったのかについて、ミスミは舞の問いをはぐらかし、あからさまな嘘をつく。どうでもいいことなのに、舞にはそれが許せない。舞はサボテンの鉢を壁に投げつけ、ミスミの頬を平手で打ち、馬乗りになってさらに打つ。ふと周囲を見渡して、凶器になりそうなものに囲まれていることに気づいた舞は、取り返しが付かない暴行に至ってしまうことを恐れるように部屋を飛び出し、ゴミ集積所のゴミ袋を投げ散らかすことで自分自身を鎮静しようとする。

青山自身がインタビューで述べているように、ミスミは暴力をふるわせることによって舞を支配している。舞はミスミに操られていることを自覚できないまま、ひたすら自分を責めてしまう。もちろんここには、多分に小説的な誇張がある。臨床場面でこうした夫婦間の「複雑な支配」に出会うことはまずない(「ありえない」という意味ではない)。ほとんどの男性の支配はずっと単純な、暴力(DV)による支配だ。

ミスミと舞との関係は、夫婦関係よりも母娘関係によく似ている。母が娘にとことん奉仕することで、奉仕に対する感謝や罪悪感で相手を縛ることを「マゾヒスティック・コントロール」(高石浩一)と呼ぶ。ミスミの「支配」はその夫婦版とも言えるだろう。

ミスミが舞の好み、舞の欲望をことごとく先取りして尽くすこと。こうした先取り型のサービスは、快適なようでいて、かすかに人を苛立たせる。相手から欲望を見透かされること、先取りした結果が微妙にずれていることによる苛立ち。舞はそうした二者関係が歪んでいると自覚しつつも、そこから逃れることができずにいる。

なぜ二者関係が問題になるのか。二者関係の原型は「鏡像段階」にあるとされる(ラカン)。

これは、自己とその鏡像の、想像的な二者関係だ。それは自己愛の起源であると同時に、他者への愛の起源でもある。

ラカンは彼の「鏡像段階」理論を構築するにあたり、ヘーゲルの「主人と奴隷の弁証法」を精神分析に導入した。主人と奴隷は一種の共依存関係にあり、主人は奴隷を支配しているかに見えて、実際には奴隷の労働と承認なしには生きていけない。二者関係は、こうした逆説的な権力闘争に陥りやすい。

互いに互いを鏡像にみたてつつ、相手に自己イメージを投影し、その姿に同一化すること。しかし同一化が進むほど、自分の支配権や所有権を相手＝鏡像に奪われてしまうという不安や被害感も高まる。これこそが「主人と奴隷の弁証法」であり、この関係は、二者関係（＝鏡像関係）から抜け出さない限り、けっして終わらない。

ラカン自身、治療が双数的関係に陥ることの弊害に自覚的だった。「精神分析を双数（決闘）的なものと理解する枠組の下で現に行われている対象関係の取り扱いは、象徴的次元の自律性を無視することに基づいています。この無視は自ずと、想像的平面と現実的平面との混同を引き起こします。だからといって、分析経験から象徴的関係が除外されてよいわけではありません」（ラカン『精神病』岩波書店）。

そう、想像的平面における双数的関係の問題を回避するには、象徴的次元、すなわち超越論的視点の導入が必須なのである。

関係性と対等制は両立しがたい

本書の後半は、舞と同じマンションの二階に住む希子に視点が切り替わる。

希子と彼、「遠藤道郎」との関係は、舞とミスミのそれとはほとんど対照的な関係とも言える。希子は、勤務先の会社の屋上で道郎と出会い、そこから二人の関係がはじまった。取材旅行と称して不在がちな彼は、いつでも突然連絡を寄越してふらりと希子の部屋に〝帰って〟くる。

彼女は道郎のことを何も知らない。テレビ番組などの音声係をしているらしいということだけは漠然と知っている。しかし、彼の事務所の場所すらもうろ覚えだ。彼の名前が本名かどうかも、家族についても、彼女についてどう思っているのかも、曖昧なままだ。似たような顔をした指名手配犯の写真を、ふと彼と取り違えてしまうほどに。

これほど希薄な関係であるにもかかわらず、希子はあたかも、自ら進んで道郎に支配されたがっているかのようだ。彼が関わった番組はすべて録画し、食い入るように視聴する。彼から帰るとの連絡があれば、いそいそと食材の買い出しに走り、真夜中でも凝った料理を作る。希子はひたすら彼を待ち、彼のために尽くそうとする。なんのために？　彼を「所有」するために。

希子は道郎が指名手配されている犯人で「何かの事情で世間から身を隠さなくてはいけない逃亡者だったらいいのにという願望」に取り憑かれている。そうした事情を想定することで、彼女が道郎について何も知らないという事実が正当化され、彼の不在を喜ばしいものに変えられるからだ。「彼が今いないということは、必ずいつかはわたしのもとに帰ってくるということ」なのだから。

密着し奉仕されることで支配される舞と、ほとんど会えないことを保護所有の証に変換することで支配に甘んずる希子。二人の立場は対照的だが、二人ともそれぞれの「想像力の繭」（今日マチ子『COCOON』）に閉じこもっている点では同じことだ。この「繭」は、ともにパートナーとの双数的関係の産物である。

本書の後半、一人称視点が舞から希子に切り替わって以降、注意して読めば、ここで文体すらも切り替わっていることがわかる。

舞の視点は描写的である。とりわけ希子の身体を描写するときの辛辣ともとれる視線。「その色の剥げた爪はひどくうらめしげに見えた」「あの白い泥のようなつむじ」「その体はあまりに無防備に見える」「そういう産毛やほくろや吹き出物や掻き跡で区別のつけられた体、同時にありふれていて、いくらでも取り替えのききそうな体……」。

希子の視点は舞とは対照的で、外界の描写は控え目で、そのぶん内省過剰なトーンが目立つ。共通するのは、それぞれが主観的な偏りを帯びていることだ。青山は文学的修辞としての隠喩ではなく、二人の女の「想像的な繭」のありようを描き分けるべく、異なった隠喩システムを技巧的に導入している。それぞれの視点の中で描写される希子や舞、あるいはミスミ（孝）は、別人のように相貌を変える。その差異が「繭の違い」をいっそう印象深いものにする。

いっぽう、男達のほうはどうか。ミスミは当初、舞に殴らせることで舞を支配していた。彼は二者関係の外側に立って、「病」の泥沼に巻き込まれることなく、メタレベルから状況をコントロールしているかに見える。なぜそんなことが可能なのか。おそらくミスミは、「孝」として希子とのつながりを維持することで、複数の女を所有〈したつもり〉になれているからだ。自分なりに構築した奇妙な三角関係の中で、関係のモードを切り替えること。そうすることでミスミは超越的な立場に立ち、双数的闘争を回避している。なぜなら彼と舞との関係は一方的な所有であって、所有は関係ではないからだ。

舞は希子に繰り返し問う。「その人と希子さんは、対等ですか?」と。その言葉は希子の胸の奥に深く沈殿し、彼女の惨めさをいっそう鮮明にする。もちろん「対等かどうか」は舞自身のこだわりでもある。舞は「対等性」を権力関係からしか理解しようとしない。しかし、双数的な関係の中で男女が対等性を実現しようと思えば、その努力は必然的に女尊男卑的な過程を通過せざるを得ない。それは快適なようでいて、舞自身を苦しめ逃れられなくするのだ。

私はこう考えている。男女に限らず、関係性と対等性は両立しがたい。あらゆる関係性はS－M的な非対称性の上に成り立っていて、そこから関係性のダイナミズムが生まれてくる。それゆえ「対等な関係性」は権利上はありえても、事実上は存在しない。この問題は、「差異」と「差別」の関係に良く似ている。差異の肯定なくしていかなる表現も不可能だが、それゆえにこそ表現者は、しばしば差別のリスクを抱え込む。説明不足は承知の上だが、そのあたりの論証は拙著『関係の化学としての文学』(新潮社)を参照されたい。

やがて彼女たちの関係性は、それぞれのあり方で破綻を迎える。繭が苦痛とともに破られるのだ。そうすることで彼女たちは、ようやく繭の外部に立ち、超越論的な視点を手に入れた。そう考えるべきなのだろうか。しかし、それではただの「治癒」にしかならない。

青山の解法はずっと独特だ。彼女は舞と希子の視点を接続し、経験を交換して見せた。実はこの手法は、オープンダイアローグの思想そのものであり、同時に柄谷行人が『トランスクリティーク』で示したやり方に近い。超越性のメタゲームを無限上昇するのではなく、斜めに横断すること。その視差から露呈してくる「現実」に直面すること。それが治癒ならぬ解放と連帯をもたらすとすれば、舞と希子が同時に呟く「これから始まるんでしょう?」という言葉は、まぎれもなく希望のほうを向いている。

「純粋物語」の誘惑

スタイルの変遷

これはまたなんという企みか。阿部和重による「神町（じんまち）サーガ」三部作の掉尾を飾る大長編は、期待を上回る問題作として完結した。奇しくも阿部のパートナーである川上未映子が、長編『夏物語』を発表したばかりというできすぎたタイミングである。決して大げさではなしに、二〇一九年という年は、さまざまな意味で対照的なカップルによる二つの傑作が、日本文学の幅を押し広げた年として文学史に刻まれることになるだろう。

私は『文學界』二〇一〇年五月号において、当時出版されたばかりの『ピストルズ』をテーマに、阿部和重と対談している。当時、彼は次のように述べていた。

「一作ごとにガラッと全部手法を変えていくというスタイルに、憧れをずっと持ってたところがあります。小説に限らず、たとえばポップミュージックの世界だとか、まあ映画でもそうですけど、そういうふうに作品をつくっている作家やアーティストは結構いるわけですよね」。ここで阿部が挙げる固有名詞は、ゴダールとデヴィッド・ボウイだった。

神町サーガの一作目『シンセミア』の連載が『アサヒグラフ』で開始されたのが一九九九年。サーガ完結にちょうど二〇年が経過したわけだが、その間も阿部はめまぐるしくスタイルを変遷させてきた。本作の主人公である作家・阿部和重の形容として「テロリズム、インターネット、ロリコンといった現代的トピックを散りばめつつ、物語の形式性を強く意識した作品を多数発表している」作家、という半ばは自嘲的な決り文句（Wikipediaからの引用）が繰り返し登場するが、まさに阿部はスタイルと形式を意識的に変容させてきたのだ。

『シンセミア』において際立つのが、土着性と暴力性を強調したフォークナー＝中上健次的スタイルであるとすれば、『ピストルズ』では一転して、少女たちが花とたわむれるファンタジー小説風の文体が採択されている。そして本作『Orga(ni)sm』では、驚くべきことにエンターテインメント小説とみまがうスタイルが採用されているのだ。おそらくここには、本作の連載が開始する直前に発表された長編、伊坂幸太郎との合作『キャプテンサンダーボルト』の影響があるだろう。いやむしろ、『キャプテン～』が、本作のための一種の文体練習として書かれた可能性も勘ぐってみたくなる。

先述した通り、本作の主人公は作家・阿部和重本人だ。二〇一四年三月三日の夜、彼の自宅をニューズウィークの編集者を名乗るアメリカ人、ラリー・タイテルバウムが訪問する。脇腹に裂傷を負い血まみれのラリーは、阿部に手当を請い、半ばパニックに陥りながらも阿部はかいがいしく彼の世話をするはめになり……というのが、とりあえずの導入部だ。

ただし本作の世界線は、われわれの現実社会とは微妙にずれている。阿部和重本人についていえば、デビュー二〇周年を迎えた落ち目の小説家、ということになっており、落ち目はともかく二〇周年というのは正しいし、『ニッポニアニッポン』や『ミステリアスセッティング』への言及はあるから作品歴もある程度一致する。しかし芥川賞受賞作の『グランド・フィナーレ』への言及はなく、当然なのかもしれないが、神町サーガへの言及もまったくない。「シンセミア」という単語は出てくるが、これは実際の大麻を指す言葉として用いられているのみ。さすがに神町サーガの書き手が神町を訪れたりしてはまずいという配慮があったのだろう。『シン・ゴジラ』の世界に「ゴジラ」という単語が存在しないのと同様に。

ちなみに本作の阿部和重は、著名な映画監督であるらしい妻の「川上さん」が四作目の映画撮影で神町に長期滞在中のため、息子の映記とともにお留守番中という設定になっている。フィクションにするのであれば映画評論家でもある自身を映画監督にしそうなものだが、あえて妻にその役目を設定した「配慮」は興味深い。

しかしそれ以上に、本作における阿部和重の扱いがけっこうひどいのは自虐の一種とみるべきだろうか。なにしろ物語の冒頭で、いきなり知人に足の生爪を剥がされるわ、息子の映記（三歳）からは舐められっぱなしだわ、妻のマネージャーである「山下さん」からは「撮影中だから邪魔すんな」みたいな扱いをうけるわ、さんざんである。

以上からもわかるとおり、本作のスタイルは、『シンセミア』とも『ピストルズ』ともまるで似ていない。本作の文体は、ギャグとユーモア満載のエンターテインメント小説のそれである。信じられないという向きには、以下の引用をお読みいただきたい。

「阿部和重は『怪獣総進撃』のゴロザウルスみたいに凱旋門をまっぷたつにすると……」

「ベスト・ファーザー賞受賞者ならこんなときにどうふるまうのかとアベレージ・ファーザーが考えているうちに静けさは終わりを告げた」

「これ以上の楽観が浮かぶようならそいつは正常性ダイモスだか闘将バイアスとかいうやつだから、自分の考えを決して信じちゃならないと阿部和重はみずからに言いきかせる」

こうした文体の軽さも相まって、本作は異様なまでにリーダブルである。さらに前二作と決定的に異なるのは、本作においては「誰も死なない」点であろう。重傷を負う人物は何人かいるが、オバマ大統領の神町訪問に際して持ち込まれたとおぼしいスーツケース型核爆弾をめぐる攻防、というぶっそうなテーマの割には、まったく殺人が描かれないのだ。これはたまたまではなく、阿部が本作を書く際に自らに課した制約の一つだったのだろう。ついでに言えば本作では男女間のセックスも描かれない。それこそ、禁欲的なまでに。

いかに「小説」を構築するか

「制約」といえば、阿部の小説作法は、一般の作家（なる存在があるかどうかは知らないが）とはかなり異質だ。再び私との対談記事から引用しよう。

「キーワードとなる言葉が浮かんでくることもあれば、物語の大まかな流れがそのままアイディアとして生まれるということもありますし、あと、場面だったりもしますね。それらのうちのどれかがいきなり断片的に降ってくる感じです」

「ストーリーを作ることに関しては苦労はまったくないですね。そういう意味では、『シンセミア』のような群像劇を考えるのは僕にとっては全然難しくない、むしろ気持ちよく楽にできちゃうんです。その分、アイディアを文章化していく段階でいろいろと細かい工夫をほどこさずにはいられなくなるので、辛い修行になってしまうんです」

「一ヵ所でも何かどこかでキャラクターに勝手な動きをされると、成り立たなくなってしまいますから。だから、予め細かいところまで設計図をきっちり作った上で、それを見ながら書くんです」

このように、阿部はきわめて構築的に小説を書いている。とりわけキャラクターの自律性を許さないという点には驚かされた。素人考えに過ぎないが、これは相当にきつい制約ではないだろうか。まして『Orga(ni)sm』では、登場人物がいちいち「キャラが立って」いるのだ。主人公の阿部和重はもとより、その子であるわがままいっぱいの三歳児・映記、トビー・ジーグラー似のCIAケースオフィサー、ラリー・タイテルバウムや、ユマ・サーマン似でチョコの「小枝」を愛するCIA職員エミリー・ウォーレンなど、かつてないほどのキャラの立った面々が登場する。ちなみにトビー・ジーグラーとはNBCのドラマ「ザ・ホワイトハウス」に登場する広報部長の役名で、俳優リチャード・シフが演じている由。

漫画であれ小説であれ、キャラが立つということは、通常はキャラが自律性を獲得することを意味する。かの小池一夫理論によれば、ストーリーよりもキャラクターが重要であり、キャラが立てばストーリーは勝手に生まれてくるはずではなかったか。そうなると不可解なのは、阿部がなにゆえキャラの自律性を抑圧し、いかにしてストーリーに従わせることに成功したか、という点になる。そんなことが果たして可能なのか。

本作のストーリーはかなり複雑である。とはいえ、前二作の予備知識がなければ読めないという作品でもない。本作だけ読んでも十分に楽しめるし、ここを起点として前の作品に遡るのもありだろう。

まずはおおまかなストーリーを要約してみよう（ただし前半部のみ）。

二〇一一年七月に起きた永田町直下地震は、国会議事堂をはじめ国政の中枢を一気に崩壊させた。なんらかの爆発物によるとの説が有力となったが、真相ははっきりしない。物語後半でその原因は、スーツケース型核爆弾だった疑いが濃厚となる。この地震を契機に首都機能移転が現実のものとなり、移転先には何の因果か、山形県東根市神町が選定されたのである。

作家・阿部和重の自宅を、瀕死のラリーが訪問する導入部はすでに紹介した。阿部による手当ての甲斐あって回復しつつあるラリーの口から、驚くべき事情が語られる。ラリーは実はCIAのケースオフィサーで、彼の仕事はオバマ大統領の新都（＝神町）訪問の最終調整をすることだった。CIAはかねてより神町の一族・菖蒲家の監視を続けており、ラリーはそのチームのリーダーだった。菖蒲家には一子相伝の人心操作術「アヤメメソッド」が伝わっており、CIAは洗脳や自白の技術に対する関心から、菖蒲家に近づいたのだ。ラリーは菖蒲家の番頭格であるオブシディアンと恋人関係になり、内通者として確保したが、任期が終わり帰国する。その後、ラリーは先述したようにオバマ訪日に合わせて再度来日し、どうやら身内の裏切りによって、セーフハウスに仕掛けられた爆弾の爆発で腹部に裂傷を負うことになる。

オバマの来日が迫る中、ラリーは神町にスーツケース型核爆弾が持ち込まれている可能性に思い至り、阿部和重に協力を頼んで「核疑惑」の潜入調査を試みる。神町は阿部の故郷であり、いままさに妻が映画撮影を進めている町でもある以上、その依頼を断るわけにもいかない。かくして抗うすべもなく巻き込まれた阿部は、権謀術数渦巻く神町へと、ラリーに購入させられたアルファードを走らせる……。

こうして書き出してみると、阿部が自ら作成した神町の（架空の）年表や、詳細なキャラクター相関図（作中でアレックス・ゴードンが作成したような）を壁に貼り出しながら物語を構築し、『ピストルズ』がそうであったように、ネット検索を駆使して細部に情報を充填しつつ「修行」のように文章を彫琢していくさまが目に浮かぶ。ひょっとすると漫画家の荒木飛呂彦のように、キャラクターごとの「身上調査書」を作っている可能性すらある。

ミステリという勿(なか)れ

本作に至ってははっきりしたことがある。「神町サーガ」、とりわけ本作には、いかなる象徴性も存在しない。先の対談で阿部自身が述べている通り、神町は、その町名こそ尊大だが、これといって特徴のない地方自治体にすぎない。それゆえ「神」の文字も、せいぜい「神回」とか「神対応」以上の意味をはらむことはない。

一定の連続性や同一性が担保されているとはいえ、『シンセミア』と『ピストルズ』、そして本作『Orga(ni)sm』との間には、解離的とも言うべき断絶がある。初期に阿部が意識していたであろう中上健次の「紀州サーガ」が帯びていた「象徴性（被差別部落や天皇制といった）」は、ここには見事なまでに欠けている。そうした「読み」が不可能とまで断ずるつもりはないが、おおむね空転する解釈の袋小路に陥るほかはないだろう。

ならば本作は、阿部がはじめて手掛けたミステリ風味のエンターテインメントということになるのだろうか。だとすれば、本作は一種のパスティーシュという形式の実験とみなされるべきなのだろうか。そうではない。そんな陳腐なことを今更阿部がたくらむはずもない。

そもそも本作は、発端の時点で通常のミステリとは決定的に異なっている。どういうことか。本作の中核にあるのは、菖蒲家に伝わる一子相伝の秘術「アヤメメソッド」だ。これは他者に幻覚を見せてその行動をコントロールするという、きわめて強力な人心操作術だ。そればかりではない。ラリーが経験したように、このメソッドはひとたび発動すると、現実と見分けがつかない幻覚で当事者の記憶すらも捏造できてしまう。加えて、術にかけられた人間は、他の人間に対してもアヤメメソッドの影響を及ぼしうるのだから、ほとんど無敵である。

少し考えればわかることだが、こうした技術が存在する世界では、ミステリは成立しなくなる。本書の後半にはいくつかのどんでん返しがあるのだが、実はそこにもこの幻術が関わってくる。発端となる事実や証言、あるいは人物の同一性までもが、こうした幻術で攪乱可能となるならば、およそ論理的な推理は成立しなくなるだろう。まして、首都機能移転に際して神町が選定される経緯や、ラストで明らかになるアメリカと日本の関係の劇的な変化など、重大な変化の陰にはつねにアヤメメソッドの存在が示唆されている。こうした、ほとんど限界を持たない魔法の介在は、ミステリ的な結構を破壊するには十分すぎるほどだ。「なんでもあり」を可能にするアヤメメソッドは、ミステリにおける「禁じ手」にほかならない。これは実質的に、フィクションにおいて「夢オチ」がタブーであるのと同じことだ。

誤解なきように言い添えておく。私は本作がミステリとして失敗している、と主張したいわけではない。そうではなくて、本作をミステリとして読むことはミスリードにつながると主張したいのである。物語の世界観を決定づけているのは、「アヤメメソッド」の存在だ。瞬時に人を洗脳してしまうような手法は、催眠以外にはありえない。その証拠に、「壊れたひと」になった菖蒲家監視チームの元チーフであるアレックス・ゴードンは、“There's no place like home” という言葉を聴くことで一時的に正気にかえる。これはまさしく彼を廃人同然にした催眠を解除するためのパスワードなのだ。

私はかねがね阿部の小説が「解離」状態のモチーフと親和性が高いことを指摘してきた。解離とは精神医学的には、全生活史健忘（いわゆる「記憶喪失」）や、解離性同一性障害（いわゆる「多重人格」）をもたらす心的メカニズムである。催眠は人工的に解離状態を作り出すための技術にほかならず、その意味で本作の背景には、解離を無限に増殖させることで世界を支配しようとする一族の物語が存在する。そればかりか、本作に至って阿部は、物語の外部にまで「解離」を導入しようと試みている。どういうことだろうか。以下に説明しよう。

フィクションの不自然さ

本作の舞台である東根市神町の雰囲気を知るべく、Google Earth によって若木山麓（おさなぎやま）を訪れてみた。確かに阿部本人が言う通り、それほど特徴に富んだ町ではない。若木山も想像以上に小さな山であり、およそ神秘性とは縁遠い印象がある。山麓には赤いトタン屋根の若木神社があり、本作でオバマ大統領が迷い込んでしまう防空壕の跡も存在する。割とどうでもいい話をすれば、私も阿部と同じく東北出身者で、私が生まれ育った岩手県北上市和賀町には、若木山とほぼ同じ高さの山城跡(岩崎城址)がある。特徴のない僻地の自治体という点では似たりよったりだが、新幹線が停まる北上市よりも山形空港を擁する神町のほうが首都機能移転先としてはいくぶん有利なはず……なわけもない。この移転計画がいかに荒唐無稽で根拠に乏しいものであるかを考慮するなら、その陰で暗躍したであろうアヤメメソッドの人心操作がいかに強力であるかがうかがい知れる。

阿部自身、そもそも自らの地元である神町そのものの固有性には関心がない。デビュー二作目の『ABC戦争』から神町を舞台にしてきた阿部は、しかし故郷である土地の風土や土着性といった「身体性」には無頓着だ。ただ地名を記号化し、その記号がもたらすイメージを利用して物語を作る。ただしそれは、神町の「神」の文字に象徴性を見出すといった話ではない。もとは「新町」だったものを「火事が続いて縁起が悪いので変えましょうということで、『神町』になったという腰砕けのようなエピソード」(前掲対談)しかないのだから。

精神分析家は言うだろう。それは故郷という土地の「固有の身体性」を抑圧することで、自らの出自=無意識の欲望を否認しているだけではないか、と。むしろそのような否認の身振りこそが、作家自身の固有の身体性への憧憬の位置を指し示しているではないか、と。しかし、あえて言えばそうした定型的な分析は、阿部作品の読解に際しては意味をなさない。分析の当否に関わらず、それでは何も言ったことにならないのである。

この点についてでは、阿部自身の重要な証言があるので引用しよう。

「フィクションにおけるリアリティというのは一体何かというと、フィクションを組み立てること自体がそもそも不自然な行為であるので、その不自然さを人目にさらすような表現形式上の限界点を、フィクションをつくり込むことによって際立たせるということが、結果、まがいものとしてのフィクションのリアリティを示すことにつながる」（前掲対談）。

私はくだんの対談で、ここで阿部の言う「フィクションの不自然さ」を自然に引き戻そうとする要素として（阿部には嫌がられつつも）「作家汁」という言葉を繰り返している。どれほど隠蔽しようとしても作品の随所から滲み出してしまう作家自身の無意識、身体性、固有性といった要素をそのように呼んだのである。文学史上最も作家汁に禁欲的であった作家は三島由紀夫であろうが、それが『英霊の聲』や自決といった固有性の暴発に帰結したことを思えば、一般に作家汁の抑制はリスクを孕むであろう。

「作家汁」が発露するルートは複数ある。ひとつは「文体」において。文体は最も素朴な意味で作家の身体性を担うからだ。ふたつめは「キャラの自律性」である。逆説的なようではあるが、自律性を帯びたキャラは基本的には作家の分身であり、その自律性が紡ぐ物語において作家の無意識が投影される。みっつめは「物語構造の自律性」である。中上健次の「紀州サーガ」がそうであったように、物語そのものも成長するかのように自律的な変容を遂げていく。こちらの場合、やや特異なのは、作家の無意識のみならず、そこに社会性や時代性までもが反映されてしまうという点だ。

しかるに「神町サーガ」で阿部がとったのは、およそ文学史上誰も試みたことのないような、気宇壮大な戦略だった。その戦略は、どこを目指したのか。以上述べてきたような作家汁（＝自然）による「汚染」を可能な限り抑圧しつつ「フィクションの不自然さ」を徹底的に研ぎ澄まし、どこにも着地せずに浮遊し続ける「純粋物語」のための空間を創設すること、これである。

この視点から改めて本作を辿り直すと、阿部和重の巧緻を極めた戦略が見えてくる。ならば、それはいかなる企みであったか。以下に列挙してみよう。

・「神町サーガ」三部作を形式として解離させること。すなわち設定や人物は継承されるが、視点と文体を徹底的に断絶させること。
・キャラクターを立てつつも、いっさいの自律性を与えないこと。例えば本作では、物語が進行してもキャラクターキャラクター間の関係性はほとんど変わらない。語りの多くを回想が占めており「実はこうだった」という事実が判明した場合でも、関係性は遡行的にしか変化しない。結果、キャラクターは物語のプロセスにほとんど介入できない。すなわち、キャラクターと物語の解離である。

・故郷である「神町」をアヤメメソッドの力を借りて首都に改造すること。それは、魔法でかぼちゃを馬車に変える行為にも似て、本作においてもっとも苛烈な解離的操作となった。この改造は、土地の土着性と固有性をほとんど根こそぎにしてしまう。痛みも叫びもともなわずに。

・もっとも巧妙だったのは、作家本人を「キャラ化」してしまった点である。先述した通り、本作における作家・阿部和重の扱いはひどいものだ。ただし、それは良くある作家の自己言及的な自虐ごっこではない。自身を物語中における「いじられキャラ」として設定し、家族構成や作品歴などの事実関係をほどよく混入することで、漫画やアニメのキャラのように輪郭のはっきりした「阿部和重」というキャラが爆誕したのである。このことが何を意味するか。いまや「阿部和重」は、複製と増殖が可能なキャラという存在に変換されたのだ。言い換えるなら、この操作によって「阿部和重」の固有性までもが記号化されたのである。この操作によって「キャラとしての阿部和重」は、作者としての阿部和重から完全に解離された存在となった。本作がエンターテインメントの文体を採用したのは、それがこうした「キャラ化」にとって最適の環境を提供するからにほかならない。

かくして阿部は、「意味」や「物語」を少しも損なうことなく、前人未到とも言える巨大な「純粋物語」を構築した。あえて「純粋小説」と呼ばないのは、この手法がほぼそのままの形で映像作品にも応用可能であるからだ。いかなる象徴性を孕むこともないその物語には、どこからも作家汁が滲み出す隙間がないように、完璧な表面処理がほどこされている。その意味で本シリーズは、「神町サーガ」ならぬ「神町プロジェクト」と呼ばれるべきだろう。

いまや私には『Orga(ni)sm』という謎めいたタイトルも、このように響く。「あなたがフィクションから得ている快楽（オーガズム）は、物語という有機的な組織体（オルガニズム）の効果にすぎないのだ」と。神町プロジェクトの成果によって、物語は象徴性と固有性の重力圏からゆっくりと離脱しつつある。そこから拓かれるのは間違いなく「純文学」（文字通りの意味で）の新たな地平にほかならない。

II　映像・アニメ・音楽

「世界観のモンタージュ」としてのキャラクター

シネフィル的否認

賛否両論を傑作の条件と見る向きには、『この世界の片隅に』はお奨めしない。公開から一年あまりを経て、あらためて驚かされるのは、本作に対する本質的な批判がいまだ一つも見当たらないという事実である。政治的視点からのもの（戦争描写の乏しさ、被害者視点の強調）と、史実としての不正確さ（憲兵のエピソードなど）についての批判がわずかに散見されるが、あえて言えば取るに足りない。

クラウドファンディングで製作資金の調達からスタートした本作は、公開されるや絶大な反響を巻き起こし、数々の映画賞に輝いた。公開二一七日目となる二〇一七年六月一五日に累計動員数二〇〇万人を突破し、興収二五億九〇〇〇万円を達成した大ヒット作となった。世界五〇カ国以上で相次いで公開され、いずれの地域でも高評価を獲得し続けている。本論執筆時点で全国のイオンシネマ九〇館で再公開が決まり、すでに国内アニメ映画ロングラン最長記録を達成している。客観的な事実の記述は以上にとどめる。

いまさら言うまでもないが、私は試写段階で本作を目撃して以来、この作品が映画史一二〇年に一度の傑作であることを確信し、現在もその確信を更新し続ける片隅原理主義者である。確かに私の「映像文化史上最高の作品」という評価は極端かもしれないが、ごく控え目に考えても、邦画史上一〇位以内には確実に位置づけられる作品ではないか。

本作について私がある種の意地悪な期待を持って注目していたのは、いわゆるシネフィルは本作をどう観るのか？　という点だった。『キネマ旬報』と『映画芸術』で年間ベスト1に選出されたとはいえ、カイエ・デュ・シネマ・ジャポンが（休刊していなかったとして）本作を取り上げることは考えにくい。浅田彰や蓮實重彥、阿部和重や菊地成孔らが本作を絶賛することはもっとありえまい。

そもそもシネフィル界隈では「アニメ」が相手にされにくいという事情がある。大衆性ゆえではない。ハリウッドB級映画は「彼ら」の大好物だ。おそらくはアニメが映画に比べてもリアリズムから最も遠い想像的な表現であり、映画の唯物論とはかけ離れた、作家の自己愛の投影物に過ぎないという「偏見」があるためではないか。それを象徴するのが、ほとんどのアニメの中心に位置する「美少女キャラ」の存在だろう。虚構のフェティシズムを最もベタに体現する萌え系美少女キャラこそは、シネフィルの嗜好を最も逆撫でする唾棄すべき存在にほかならないのだ。

唯物論と精神分析

さらにここには、「映画的な唯物論をどのようにとらえるか」という問題系が露呈している。アニメは、複数のレイヤーを重層的に重ね合わせることで成立する特異な表現形式である。むろん後述するゴダールのように、実写映画においても多重レイヤーは見出されうるが、それはあくまでも事後的な分析によってである。しかしアニメにあっては、製作過程そのものがレイヤーの重ね合わせによって成立している。本作で言えば、まずこうの史代による原作があり、監督によるエピソードの取捨選択があり、絵コンテがあり作画と運動の水準があり、背景があり考証があり、声と効果音があり、サウンドトラックがある。

本作の特異性は、それぞれのレイヤーが畏怖すべき高水準で成立していることであり、さらにその重ね合わせが戦慄すべきシンクロぶりを示した点にある。片渕須直監督が繰り返し語るとおり、その目指すところは「北條すず」というヒロインを「存在させる」ことだった。政治性でも思想性でも、まして娯楽性でもなく、キャラクターの実在性をひたすら高めていくこと。本作鑑賞後に多くの人が口にしたあの得体の知れない衝撃の正体は、おそらくこれである。輪郭線で描かれた虚構のキャラクターに強烈な実在感を喚起されて、観客の脳内に認知的不協和が生じているのだ。本作における唯物論的な契機のひとつが「すずさん」というキャラクターなのである。

映像の唯物論と言えば、やはり〝シネフィルの神〟であるゴダールの名を挙げておくべきだろう。ＪＬＧの個人的評価はここでは措く。彼もまた認知的不協和を唯物論的契機として駆使する監督の一人だ。とりわけ『勝手にしやがれ』にはじまるモンタージュ（ジャンプカット）の駆使に加え、七〇年代以降は音と映像を衝突させるソニマージュの技法を多用していることはよく知られている。

映像と映像、映像と音、それらの滑らかな連続と同期をいたるところで脱臼させ、その軋みの物質的な手触りを「映画の唯物論」とみなすこと。ゴダールは、映画に対して精神分析家のような位置を占めている。彼は映像言語を用いて映画の無意識を〝批評〟する。シネフィルもまたＪＬＧを模倣するだろう。映画の無意識、すなわち作家が恐らく意図せずして行う描写、反復、表出をとらえ、その事例を列挙し、構造を描出し、批評的文脈に位置づける。蓮實重彥で言えばジョン・フォード映画の投擲描写に注目した「身振りの雄弁――ジョン・フォードと『投げる』こと」（『文學界』二〇〇五年二月号）などがその代表的なものとなるだろう。実は私自身、そうした批評が嫌いではない。どころか、自身でその真似事をした覚えすらある。

好むと好まざるとにかかわらず、彼らの身振りは精神分析的である。ジジェクの映画評をくさしながらも、作家の意図や表層的な物語性を捨象して、ありうべき深層、すなわち映画の無意識へと向かう志向は共通しているからだ。違いと言えば治療を意図していないという点くらいだろうか。冗談はともかくとして、これではっきりしたことがある。なぜ『この世界の片隅に』はシネフィルと相性が悪いのか。
そこに語るべき「無意識」がないからだ。

「片隅」の無意識

細馬宏通は『二つの『この世界の片隅に』』(青土社)において、本作で描かれた登場人物の声と動作を、おそるべき精度で記述し分析してみせる。驚くべきは、これほど精緻に細部を凝視しても、そこにほとんど「監督の意図を超えた描写」が見当たらないことだ。アニメだから運動が単純になる、という雑な話ではない。本作の冒頭、幼いすずが船から下りて海苔の入った箱を背負い直す一連の所作などは、アニメーションだからこそ分節し得た運動の悦びに満ちている。

アニメは先にも述べたとおり、細部に至るまで制作者の意図のもとで設計可能な表現だ。それゆえ「無意識」の領域は最小限に留められる。つまり、分析や批評の対象としてはつまらない(批評はあり得るとしてる「意図」の批判の域を出ない)。おそらくそのような「誤解」がある。

しかし片渕監督は、この点についても十分に自覚的だった。

彼は言う。「『絵で描く』アニメーションは、偶然が入り込まないと言われているんです。ところが、歴史的な事実が背景にあると自分たちの意図しないものがどんどん画面に入り込むんです」(「『この世界の片隅に』女子アナ・戦艦大和……片渕監督が貫いたリアル」『ウィズニュース』二〇一六年一二月四日)。

本作における緻密で粘り強い考証作業はつとに知られている。私が監督にインタビューした際にも、資料として収集された書籍の量に驚き、PC内に体系的に収集構築された資料データベースに圧倒された。

たとえば冒頭シーン、幼いすずが海苔を届けに行って道に迷う、わずか五分にも満たないシークエンスを描くために、片渕監督は入念な考証を重ねて可能な限り史実に基づき「中島本町」(原爆のグラウンドゼロにあった町)を〝再建〟してみせた。作品内に記された日付と実際の天候や戦艦の入港記録を記録と照合していく執念には鬼気迫るものがある。ちなみに、呉に入港する戦艦大和の艦橋に一瞬見える信号兵の手旗信号は「トシヨトシ(当直士官より当直士官へ)」である由。

つまりこういうことだ。片渕監督は、本作の「無意識」として「史実」を導入したのである。こうの史代自身も同様の姿勢で原作を描いており、結果的には本作と原作との間で、もっとも理想的な「コラボレーション」が成立した。ここに、すずを演じた俳優「のん」の神がかった演技に加え、物語の空気感とともに注釈的機能まで果たすコトリンゴの音楽などのレイヤーが重ねられ、映画は単なる史実の反映を超えた自律的なリアリティを獲得するに至った。映画とは異なり、画面の隅々に至るまで徹底した設計と作り込みが可能なアニメという形式が、それを可能にしたのである。

先述したとおり、本作においては、ヒロインである「北條すず」の実在性を高めることが目論まれていた。ならばキャラクターの実在性を高めるとはどのようなことを意味するか。先述のインタビューで、片渕監督は次のように述べていた。「僕は、『この世界』という作品を、曖昧な主体を持つ人の存在の焦点が、だんだん結ばれていく作品だろうと思うんです」。

これはきわめて重要な発言だ。通常、映画の登場人物が、このような形で描かれることは少ない。しかし本作を通じて私たちは、幼かったすずさんが成長し、結婚し、家庭に入り、最後に「母」になっていく過程を眺めながら、彼女の存在を理解するのである。水原への想い、周作との絆、晴美と右手の喪失、ヨーコとの出会い。そうした出会いや出会いそこね（「みぎてのうた」参照）の集積がすずさんのアイデンティティを形成していく。予め刻印された「ただ一つの痕跡」としての固有名ではなく、数多の断片の寄せ集めから彼女の固有名が錬成される。

実写映画における登場人物のリアリティは、俳優の存在によって担保されている。それゆえ固有名を「傷の反復」として描くことが可能となり、そこに分析の余地も生まれる。しかしアニメのキャラクターは、どこまでも架空の存在だ。その実在性を高めようと思うなら、要素と断片の集積から合成＝モンタージュしてゆくほかはない。しかしおそらく、それこそがアニメの最大の強みなのだ。そこではすずさんの生活史と同様に、膨大な史実の導入もまた、すずさんを構成するひとつの層となる。かくして「すずさん」の存在は、「世界観のモンタージュ」として成立した最初のキャラクター、という位置づけを獲得するだろう。

いまや彼女は、単なる共感の器ではないし、まして政治的メッセンジャーなどでもない。すでに劇場で六回鑑賞した結果、彼女はレプリカントの偽記憶並みのリアリティをもって私の脳内に棲みついている。ただ一つの真理ではなく、複数の物語（ナラティブ）によって構成されたその実在性は、「分析」よりも「対話」に開かれているだろう。本作において示唆されるのは、そのような「人間＝キャラクター」観における変化の兆しなのかもしれない。

すべては「すずさんの存在」に奉仕する

それはいかに受容されたか

まず、何が起きたのかをかいつまんで記しておこう。

二〇一六年一一月、あるマンガを原作とするアニメーション作品が、クラウドファンディングの力を借りつつ制作され、公開にこぎつけた。公開は六三館と、きわめて小規模なスタートだった。原作は一〇年ほど前に権威あるマンガ賞を受賞した、マンガ史に残る傑作だったが、マンガファン以外にはそれほど広く知られた作品ではなかった。アニメーションの監督は、それまで二つの傑作でコアなファンはついていたが、実力に比してその名前は十分に知られているとは言えない状態だった。

九月に先行試写が開始されるや、本作は一部でほとんど熱狂的とも言える反響をひきおこした。先行試写を観た評論家、著名人たちがまず口をきわめて絶賛した。そればかりではない。あろうことか彼らは、お願いだからどうかこの作品を観てくれと、人々に懇願すらしたのである。

彼らの主戦場はTwitterをはじめとするSNSだったが、自身のメディアを持つ者は、その機会を最大限に活用した。私自身は幸運にも、最初期にTwitter上で絶賛の輪に加わることができ、映画雑誌の連載と、ラジオの社会時評コーナーでも本作を紹介した。ある種の使命感が背景にあったとはいえ、これは私が批評業界に関わって以来、間違いなく最も幸福な体験だった。

テレビメディアが沈黙を守るなか、多くの新聞、雑誌が本作を好意的に取り上げ、SNSでの言及もさらに増加し、本作の興行収入は公開後もじわじわと伸び続けた。ホームグラウンドともいうべきテアトル新宿では「満席・立ち見」回の連続で、この一〇年間で最大の興行収入を記録した。結果、六三館からはじまった本作は、二〇一七年一月から二〇〇館以上での公開が確定している。この原稿を書いている二〇一六年一二月末現在での興行収入は八億を達成した。いまや押しも押されもせぬ「大ヒット作」である。

個人的な話をすれば、これまで経験したいかなる作品も、私の脳を二か月間以上にわたって占拠したことはなかった。試写後すぐに呉に「聖地巡礼」に赴いたこと、同じ作品を映画館で五回以上観たこと、いずれもはじめての経験だ。以上の事実をもって本作を、映像文化史上最高の作品と認定したとして、必ずしも過大評価にはあたるまい。

その作品の名を『この世界の片隅に』という。

それはいかに評価されたか

本作は、公開後二か月以上が過ぎた現在も、前代未聞の現象を次々に巻き起こしている。日本で最も老舗の映画雑誌『キネマ旬報』の映画では、三人の評者全員が、まったく異なった理由から満点の「星五つ」をつけた。この欄はおおむね辛口で、かなりの傑作でも評価が分かれることが多い。私も同誌で連載を持って五年になるが、これほどの高評価はいまだかつて見たことがない。

映画評論家の町山智浩は、まだ試写の段階で二〇一六年公開の作品では最高の評価（町山大賞）をつけた。人気ラッパーのライムスター宇多丸は、自身の映画批評番組で、あろうことか「五〇〇〇億点」をつけた。私自身も公開前の段階で「一二〇年に一度の傑作」と断定した。断るまでもないが「リュミエール兄弟以降、最高の映像作品」という意味である。

受賞歴に関していえば、本作はすでにヒロシマ平和映画賞、ヨコハマ映画祭作品賞などを受賞し、二〇一六年第七一回毎日映画コンクールでも大賞、監督、音楽、主演女優、アニメーションの各部門にノミネートされている。

以上、本作にまつわる事実関係をことこまかに記したのには理由がある。私たちは今、歴史の目撃者になっているからだ。この映画史的な傑作がいかにしてつくられ、いかに受容され、評価されたかを、同時代人としての記録にとどめなければならない。その意味で本論は、批評というよりは、「いかに本作が受容されたか」を記すノンフィクションという意識で書かれたことを付記しておく。

なぜ本作は〝成功〟したか

こうの史代の原作が傑作であること。この点はいくら強調してもしたりない。片渕須直監督もその業績から、抜きんでた名匠であることは自明の前提である。ただし、傑作を名匠が監督したらその自乗で大傑作が生まれるかといえば、そうとは限らないのが映画制作の難しさだ。

本作が成功した最大の要因は、片渕監督が原作に最大の敬意を払いつつ、基本的には「補完役」に徹したことだろう。実際、これほどまでに原作と「相思相愛」のアニメはいまだかつて観たことがない。ヒロインの北條すず（以下、すずさん）の声に「のん（能年玲奈）」を起用したことをはじめ、アニメとして追加された部分はすべて原作の雰囲気を忠実に補強している。

これは、監督が〝自身の痕跡を消して職人に徹した〟ということなのだろうか。おそらくそうではない。原作者と自身の資質に共通するものが多いと感じた監督は、原作に忠実であることが同時に自己表現でもありうることに気づいたのだ。

もう一点、本作が成功した理由を、片渕監督自身が明かしている。片渕はヒロインのすずさんに徹底して惚れ込み、彼女を「存在させる」ことを目指して本作を制作した。政治性でも思想性でも、まして娯楽性でもなく、キャラクターの実在性をひたすら高めていくこと。鑑賞後にじわじわ効いてくるあの得体の知れない衝撃の正体は、第一にこれである。輪郭線で描かれた虚構のキャラクターに、強烈な実在感を喚起されて、観客の脳に認知的不協和が生じているのだ。感想の言語化が困難なこと、わき上がる得体の知れない感情、後から効いてくる衝撃など、いずれもここに起因する。

アニメである本作が実写映画のリアリティを凌駕しえたのは、まさにアニメでしかなしえない技法が駆使されていたからだ。アニメというメディアは、複数のレイヤーを重層的に重ね合わせることで成立する。他の表現とは異なり、アニメにあっては、制作過程そのものがレイヤーの重ね合わせによって成立しているのだ。そこにはまず原作があり、絵コンテがあり、作画と運動の水準があり、背景があり考証があり、声と効果音があり、サウンドトラックがある。

原作、考証、そして運動

本作の成立においてまず特筆すべきは、過剰なまでに緻密な考証作業である。冒頭、幼いすずさんが海苔を届けにいって道に迷う、わずか五分にも満たないシークエンスを描くために、片渕監督は入念な考証を重ねて可能なかぎり史実に基づいた「中島本町」を〝再建〟してみせた。原爆のグラウンドゼロにあって現在は平和記念公園となっている喪われた町。片渕監督の演出方針の一つに、「戦争で失われたもの、そこなわれたものを丁寧に描く」というものがあったと聞く。そのことを念頭に置くならば、あの「すみちゃん」の入浴シーンも、単なるサービスカットなどではないことが良くわかる。

片渕監督の言を引用しよう。「『絵で描く』アニメーションは、偶然が入り込まないと言われているんです。ところが、歴史的な事実が背景にあると自分たちの意図しないものがどんどん画面に入り込むんです」（「『この世界の片隅に』女子アナ・戦艦大和……片渕監督が貫いたリアル」『ウィズニュース』二〇一六年一二月四日）。映画的リアルを「偶然に映り込んでしまったもの」としての無意識に求めるなら、アニメ的リアルは「そこに重層的に刻み込まれた考証や想い」なのだ。想いが浅ければリアリティも希薄になるが、想いが深ければ、時にアニメ的リアルは映画すら凌駕する。

作画については、この原作の最も理想的なあり方と言って過言ではないだろう。悪い意味でアニメ的という言葉から連想されるような過剰なデコレーションは極力排除され、キャラクターデザインから原作のコマの構図までがほぼ忠実に踏襲され、セリフの改変も原作を補う形で最小限に留められている。

さて、作画同様に特筆すべきは、本作の「運動」である。本作における運動は、「宮崎アニメ」などとは対照的に、きわめて禁欲的、抑制的である。作画枚数もいわゆる「三コマ打ち」で、テレビアニメと同レベルである由。にもかかわらず、キャラクターの動きはきわめて繊細でリアルだ。冒頭、すずさんが風呂敷包みを背負う動作にいきなり眼を奪われるが、全編を通じて「手の演技」が素晴らしい。スケッチする手、箸を持つ手、わらじを編む手など、ミラーニューロン（動作の模倣を司る神経）を直撃するような描写の連続である。

片渕監督自身の解説によれば、本作では運動の表現として「ショートレンジの仮現運動」の原理が採用されたのだという。これは簡単にいえば、作画ごとの変化の幅を小刻みにして、キャラクターの動作をゆっくりしたものにすることによって、運動のリアリティを担保したというほどの意味である。

声と音、そして音楽

さて、運動のリアリティを補完するのは「音」である。人間は環境情報の八割以上を視覚から得ているとされるが、リアリティを担保する比重は、むしろ聴覚よりであるとされている。精神医学的には、幻視よりも幻聴のほうがはるかに不安と恐怖を喚起する、という臨床的事実もある。

アニメの「音」には大きく分けて、声優による演技と音響効果、そしてサントラがあるが、本作においてはそのすべてがきわめて高水準なのである。

最初に特筆すべきはやはり声優であろう。広島弁や呉弁という方言指導の徹底が、声優らの違う面を引き出している（特に「径子さん」を演じた尾身美詞の呉弁は素晴らしい）。しかし最大の功労者といえば、やはり「のん」の存在を措いてほかにない。『あまちゃん』当時から彼女は、現実から半歩ほど宙に浮いたキャラを絶妙に演じるタイプの俳優で、その資質が本作において圧倒的に開花している。圧倒的というのは、いささかも誇張ではない。まるで彼女がこの二年間、本作に出るための準備をしてきたとしか思えないレベルのものだ。実際、最初に試写で本作を鑑賞してからというもの、すずさんのセリフはすべて「のん」の声で再生されるようになった。観た直後にすずさんが脳内に棲みついたという感想が多く聞かれたのも、彼女の声あってのものだろう。

音響効果の素晴らしさについては、本作の劇場鑑賞を勧める声に「あの音は劇場でしか経験できない」という指摘が多かった点を挙げておけば十分だろう。呉空襲シーンのすさまじさ、すずさんを狙うグラマンの機銃掃射の恐ろしさは、主としてあの音響によるところが大きい。片渕監督は、こうした効果音を、自衛隊の演習場まで赴いて録音してきたという。あの、まったくフェティシズムをそそらない、ひたすら凶悪な音響は、要するに「本物」だったというわけだ。

演出に比して比較的言及されることが少ないが、コトリンゴによるサントラも、これ単独でなんらかの賞に値する水準にある。冒頭の「悲しくてやりきれない」のカバーは無論のこと、映画の終盤における「みぎてのうた」から「たんぽぽ」へのシークエンスはことのほか素晴らしい。原作では「しあはせの手紙」のタイトルで、喪われた右手からすずさんへの手紙という一章が設けられているのだが、この章における右手のモノローグ部分を、ほぼそのままの形で歌詞に採用している。原作においてもっとも「難解」なセリフを歌詞として扱うことで、表層的な読みから深読みに至るまでの幅の受容が可能となった。

象徴としての「右手」

本作の象徴的水準について、まず第一に挙げるべきは「すずさんの右手」である。マンガ原作においては、特に最終章「しあはせの手紙」の主人公はこの右手と言っても過言ではない。絵を描くのが好きな右手は、すずさんのもう一つの主体であり、『寄生獣』のミギーを彷彿とさせるような、かぎりなく自律的な存在である。右手はすずさんに想像力と物語る力を与え、それが「ぼうっとした子」である彼女の世界を守っていた。

「守った」というのは大げさではない。なにしろ、すずさんと周作さんが二度出会ったのは「右手」のおかげなのである。冒頭の出逢いは広島の相生橋。幼いすずさんは「ばけもん」に拉致され、背負い籠に放り込まれ、そこで先客の周作に出会う。幻想的なシーンだが、後日ばけもん退治に使われた海苔が本当に足りないことがわかって、幻想かどうかは曖昧になる。はっきりしているのは、この出会いがあったからこそ、周作とすずは結婚したということだ。

昭和二一年一月、焼け跡となった広島の相生橋（原爆投下の標的）で、二人は今後のことを語り合う。すずさんが周作さんに、本作で最も重要なセリフを「告白」するシーンでもある。まさにそのとき、くだんの「ばけもん」とおぼしい人影が、二人の背後を歩みさる。このシーンの直前、すずさんは妹のすみちゃんに「鬼いちゃんの冒険記」を語って聞かせている。

その物語の中で、鬼いちゃんは南洋の無人島でワニをお嫁さんにしている。そして、まさに通り過ぎた「ばけもん」の背負い籠からにゅっと顔を出し、二人に手を振ってみせるのは、まさに「ワニのお嫁さん」ではないか。

ここから二つのことが「わかる」。どうやら「ばけもん」は鬼いちゃんらしいということ。幻想とも現実ともつかない「ばけもん」の存在が、「右手」の産物である可能性。そして右手＝ばけもんが、すずさんと周作さんの、人生の選択に深い関わりを持っているということ。興味深いことに、本作のあちこちを彩っているこうした「幻想性」は、いささかも「否認」や「自閉」、ないし「現実逃避」の印象を与えない。つまり本作の「リアリズム」を少しもそこなうものではない。逆説的にも響くだろうが、幻想と現実が同等の重みで尊重されるとき、幻想は時にリアリズムを補強するのだ。本作が（あえて言えば）凡百の戦記物を凌駕しえているのはこのためもあろう。ここで想起しておくべきは、あの無謀な「戦争」を支え続けた精神もまた、「一億玉砕」「八紘一宇」「大東亜共栄圏」といった「幻想」であったことだ。

それゆえ爆弾によって「右手」を、その手を繋いだ晴美もろとも喪ってからのすずさんは、「歪ん」でしまう。原作でもこれ以降のシーンの背景を、こうのは左手で描いたというが、アニメでも背景描写の一部にそれを踏襲したシーンがある。しかし右手をなくすことは、すずさんにとっては自意識の覚醒でもあった。

マンガでもアニメでも、歪んだ以降のすずさんには、かつてのような「ドジっ子」ぶりはもうみられない。あの「ぼーっとした」すずさんはもういない。右手の幻想機能を奪われた彼女の自意識は、常に内省している。それどころか玉音放送を聞いたすずさんは、ただちに敗戦の意味を理解し、激しい怒りをあらわにする。裏の畑で泣き崩れるすずさんは、掲げられた太極旗を見て、自身の身体を構成しているのが韓国や台湾から収奪された食料であること、すなわち自分が懸命に支えてきた「日常」が、加害行為ですらあったことすらも理解してしまう。

しかしまた、歪んでいたからこそ、彼女は自身の受けた外傷と生存者の罪悪感(サバイバーズ・ギルト)を乗り越えられたのではなかったか。

原作下巻に「水鳥の青葉」という美しい章がある。すずさんは刈谷さんと農家へ物々交換(闇取引?)に出かけた帰り道、呉港に着底している軍艦・青葉のかたわらを通り過ぎる。このシーンに登場する水原は、どうやら幻ではないらしい。しかしすずさんは、水原に声をかけようとはしない。

原作では、ここに「右手」が登場する。右手の生み出す幻想の中で、青葉はゆっくりと宙に浮かび、鷺(さぎ)や波のうさぎらとともに夕空に飛翔する。章タイトルの水鳥とは鷺のことであり、鷺は江波と水原の換喩的な象徴である。右手の魔法で青葉は水鳥となった。すずさんはこの場面で自らを「笑顔の容れもん」であることを自覚する(原作では「記憶の器」)。おそらくはこの時点で、彼女は「別の人生」を夢想することをやめ、呉に生きることを決めたのだ。「笑顔の容れもん（記憶の器）」として生きるとは、そういうことではなかったか。

意味論的同期

以上、本作におけるそれぞれの「レイヤー」が、いかに傑出したものであるかについて述べてきた。関わった人々の無数の手が、繰り返し何度もなぞり直した「すずさんの物語」は、複数のレイヤーが重層的に融合した傑作となった。この技法を仮に「意味論的同期」と呼ぼう。それはアニメがマンガから譲り受けた、アニメに特異的な表現技法なのである。

ここで少しばかり迂回を試みる。かつて私は、著書『戦闘美少女の精神分析』において、マンガ表現を「ユニゾン的同期空間」と呼んだ。どういうことだろうか。以下、かいつまんで説明しよう。

ここで私がレイヤーと呼ぶのは、意味を支えるコード体系のことだ。マンガのコード体系は図像と言葉だけではない。擬音・擬態表現はもとより、人物の表情に感情を付記する「漫符」、スピード線や集中線、コマの形やフキダシに至るまで、列挙していけばかなり膨大なリストとなるような「コード」の体系が、マンガ表現を支えている。マンガ表現においては、およそ「無意味」な描写がありえない。描線もコマ割りも、そして余白や省略までも、なんらかの意味伝達に寄与しているからだ。

ここで重要なのは、上述した「コード」システムが、それぞれ単独では、きわめて不完全な体系であるという点だ。マンガ表現のいかなるコードも、独立して意味を伝達することはできない。セリフのみ、画像のみを追ってみても、十分な意味は伝達されない。それゆえ各コード・システムは相互に補完しあう必要がある。相補性が十分に生かされて、はじめてコードは同期し、そこにユニゾン的な効果が生まれる。

マンガは「顔」のメディアである。前衛的なマンガを除けば、ほとんどすべてのコマに顔が描かれている。顔の機能は二つある。フレームごとのキャラクターの同一性を担保すること（絵画と決定的に異なる点）。感情の器として機能すること。実際、私がかつて指摘したように、マンガは感情のメディアでもある。原作のこうの史代の作品がまさにそうであるように、ほとんどすべてのコマに、表情や漫符その他のコードでなんらかの「感情」が描きこまれている。この感情依存度は、映画、演劇、小説その他のメディアにはみられない特徴である。

マンガはわれわれの認知特性に最適化したメディアでもある。われわれはそこに情報や物語を単に読み取るばかりではない。コマの中に顔が描かれていれば、われわれはそれを決して無視できない。顔を見るということはそこに感情を読み取ることにほかならず、感情を認知すればわれわれは否応なしに「意味」へと誘導される。かくしてコマを追ううちに、われわれはほとんど強制的に、意味と物語の最中に拉致されてしまうことになる。

日本のアニメは、こうしたマンガのコード表現をほぼ忠実に継承したメディアであるがゆえに、以上の特性はアニメにも該当する。つまりマンガもアニメも、徹頭徹尾、意味と物語にまみれたメディアなのである。ラカン的な言い方をすれば、いずれもきわめて想像的な表現形式である。偶然やノイズが映り込まず、小説のようなお筆先モードもありえない、意識的かつ構築的な表現である。それゆえに批評の文脈では、「他者」の介在を許さない想像的＝ナルシシックな表現とみなされがちだった。一部の批評家がアニメを映画よりも一段低くみる傾向は、おそらくここに起因する。

しかし本作『この世界の片隅に』では、以上のアニメの表現特性がことごとく勝因につながった。アニメはマンガ以上に使用されるコードが重層的である。とりわけ声優の演技や効果音、あるいはサウンドトラックに至る音声コードの役割はきわめて大きい。ほかにも絵コンテ、作画、考証、背景美術、ストーリーとセリフの編集、運動そして象徴効果に至るまで、本作におけるすべての重層的なコード体系は、ただ一つの目的、すなわち「すずさんを存在させること」へと向けて奉仕すべく調整・構築されている。

コード体系（＝レイヤー）それぞれがきわめて高い水準にあることはすでに詳しく述べた。ここで重要なのは、いずれのレイヤーも単独では「すずさん」を存在せしめることができないという意味で不完全であることだ。それぞれに「すずさん」の形の欠如を抱えたレイヤーがいくつも重ねられていく過程で、「すずさん」の存在が補完されていく。意味論的同期（先述）にすぐれたアニメの表現特性を踏まえた上で、意味よりもむしろ「存在」を伝えるために、それを用いたこと。片渕監督の天才性は、まさにこの点にきわまっている。

「失認」と「可能世界」

『この世界の片隅に』という作品は、間口は広いのに恐ろしく奥行きが深い。だから、これほどわかりやすいのに、感想を言語化しにくいのだろう。のんの傑作キャッチコピー「生きるっていうだけで、涙があふれてくる」にしても、字面ほどわかりやすい言葉ではない。

原作の冒頭にまずこうある。「この世界のあちこちのわたしへ」。最終回「しあはせの手紙」にはこうある。「貴方などこの世界の ほんの切れっ端に すぎないのだから」「しかもその貴方すら懐かしい切れ〱の誰かや何かの寄せ集めにすぎないのだから」「どこにでも宿る愛」「あちこちに宿る 切れ〱のわたしの愛」「ほらご覧 いま其れも 貴方の 一部になる」。

この箇所の解釈は、必ずしも容易ではない。しかしこの部分には、本作の中核的な「思想」が込められている。

本作には、医学用語で言うところの「失認」を思わせるようなくだりが頻出する。軍人となって訓練に向かう周作さんに「大丈夫かの」と問われたすずさんが「無理です」と言った続きの言葉は「この家に居らんと周作さんを見つけられんかも知れんもん……」だ。周作が相生橋ですずさんの顔を撫でつつ言う言葉は「わしはすずさんはいつでもすぐわかる。ここへほくろがあるけえすぐわかるで」だ。刈谷さんは、原爆投下後の広島から変わり果てた姿で呉に戻ってきた息子がわからなかった。原爆投下から五か月後、昭和二一年一月に広島を訪れたすずさんの周りでは、「人間違い」が頻繁に起こる。

　この「失認」は、もう一つのテーマである「可能世界」につながっている。

　中巻第一五回、すずさんと周作さんが呉でデートをする回で、小春橋にもたれた二人が交わす会話を思い出そう。すずさんは「夢から覚めるとでも思うんじゃろか」と言う。実はこの言葉からは、「水原さんに会ったら」という前置きが省略されている。さらにすずさんは「今覚めたら面白うない」「今のうちが ほんまのうちなら ええ思うんです」と続ける。これに周作は「過ぎた事 選ばんかった道 みな 覚めた夢と変わりやせんな」と応じ、「あんたを選んだんは わしにとって多分 最良の現実じゃ」と続ける。この二番目のセリフからも「白木リンではなく」という前置きが省略されている。「可能世界」テーマは反復される。白木リンの言葉「人が死んだら記憶も消えて無うなる」「秘密は無かったことになる」という言葉の中で。晴美を失って意識朦朧となったすずさんの夢想の中で。

　さらに奇妙なことに、本作には人の出逢いを表す言葉として「運命」という言葉が出てこない。「出会えた奇跡」はおろか、偶然を必然に読み替える一切の言い回しが出てこない。人はただ、自分が生き延びられる確率と、相手が生き延びる確率、その総和としての出逢いの確率を計算しながら生きるかのようだ。

すずさんと白木リンとの間で符丁のように交わされる「ゼイタクなこと」の意味もそこにある。自分だけの茶碗も、秘密を抱いて死ぬことも、帰ってこられるかわからない夫との間で秘密を共有することも、みな「ゼイタク」なことなのだ。それは「所有」に関わることであり、個人の「固有性」に関わることなのだから。戦争は所有と自由を禁止することで、人から「運命」と「固有性」を剥奪してしまう。

さらに私たちは知るだろう。「奇跡」も「運命」も、戦時下ではゼイタク品でしかないことを。「固有性」を剥奪されたとき、人は重要な他者の顔すら「絶対に認識できる」という自信を失う。人はただ死ぬばかりではない。人はしばしば「変わり果てて」死ぬのだから（鬼いちゃんが石ころになったように）。母親からすら「わが子の顔を忘れるはずがない」という確信を奪い去るのが「戦争」だ。繰り返される「失認」的な描写は、まさにこの点を衝いている。

空襲が、火災が、出征が日常の世界で、死者は可算的な数字となり、生死は運命ではなく確率の問題となる。もしすずさんが、左手で晴美さんの手を握っていたら。焼夷弾が落ちる前に防空壕に入っていたら。江波の祭りに間に合っていたら。そう、無数の選択肢の中をすずさんが生き延びたのは、「運命」よりも「確率」の問題なのだ。

この問題を最終回「しあはせの手紙」は、ちょうど裏返しにつづっている。「みぎてのうた」の歌詞にもあるが、「たんぽぽの綿毛を浴びそびれ」「雲間のつくる日だまりに入りそびれ」……

のくだりだ。「可能世界」の谷間で、さまざまなことに「そびれ」続けた結果として、すずさんは長生きするだろうと、「手紙」は予告する。

片渕監督は次のように述べている。「僕は、『この世界』という作品を、曖昧な主体を持つ人の存在の焦点が、だんだん結ばれていく作品だろうと思うんです」。

いくつものレイヤーの重なりのなかから、いくつもの可能世界をかわすなかから、「すずさんは記憶の断片を積み上げ、自らの主体を発見し、「どこにでも宿る」という愛を与える存在となる。予め与えられた「ただ一つの傷」のように固有名をとらえるのではなく、無数の傷や痛みを含む断片の「寄せ集め」の側から、徐々に固有名に近づいていくこと。少なくとも「すずさん」という主体のリアリティは、そのようにして構成されている。

本作と現代を繋ぐテーマも、まさにそこにある。主体が匿名化と確率化をこうむっているという意味では、現代の若者もすずさんに近い状況にあるからだ。ただし、その状況をもたらしたのは、さしあたり「戦争」ではない。そうした非日常ではなく、日常を支える諸システムのほうだ。

本作は、こうした困難に対処するためのヒントすらも与えてくれる。われわれの「日常」を深く掘り下げること。身体に「記憶」を刻み込むこと。パートナーをみつけ、事後的に「愛」を見出すこと。そうしたことのなかには「治療」の契機すら潜んでいるかもしれない。

汲めども尽きない本作の豊穣な深みは、そのまま「すずさん」の存在の深みでもある。世界の片隅に在るすずさんの小さな体にも「存在の宇宙」は宿っている。本作を見終えた後の奇妙な安堵感は「ここが居場所」と私に告げる。繰り返し還れる〝場所〟として本作を届けてくれた、すべての人に対して深い感謝を。

外傷の器としての…

ゴジラ映画の記憶

私の最初期の「映画的記憶」は「ゴジラ」にはじまる。ただし初代『ゴジラ』(一九五四年)ではない。私がはじめて夢中になった作品とは、よりにもよって昭和ゴジラシリーズでもひときわ評価の低い怪作『ゴジラ・ミニラ・ガバラ オール怪獣大進撃』(一九六九年)だった。

八歳の子どもだった私に卓越した批評眼などあるわけがない。私は主人公の鍵っ子少年に自分を重ね、全ゴジラファンを茫然自失させたあの水前寺清子風味の珍妙な主題歌(「怪獣マーチ」)を口ずさんだ。エビラやゴロザウルスを倒す映像に(使い回しとも知らずに)燃え、造形最悪のガバラを背負い投げするゴジラには性的興奮すら覚え、夢オチと酷評されたあのエンディングにすらたやすく慰撫されたのだ。

いや夢オチはダメってみんな言うけれど、「夢=フィクションの力で子供が成長する」ってテーマは、エンデ『はてしない物語』の一〇年早い先取りと言えなくもないと思うのだがどうだろう。強く言われればそんな気がしてこないだろうか。

そんな私のゴジラ好きは、『大進撃』に続く作品『ゴジラ対ヘドラ』でピークを迎える。これは文句なしの名作だった。やはりゴジラには社会派が似合う。オタマジャクシから変態を遂げてゆくヘドラの生態は、『シン・ゴジラ』にも通ずるものがあるし、口から熱線を放射する反動で、胎児の姿勢で後ろ向きに飛行するゴジラの新機能も、全身から熱線を放射できるシン・ゴジラの能力をインスパイアした可能性がある。ゴーゴー喫茶でヤングが踊る「かえせ！太陽を」の歌詞はレイチェル・カーソン『沈黙の春』の引用だし、ヘドラの攻撃で満身創痍になったゴジラが人間への怒りをにじませるラストも格好いい。

初代『ゴジラ』の衝撃

そういうわけで、初代『ゴジラ』を観るチャンスはずいぶんと遅れた。いまなら動画サイトで簡単に観ることができるが、私が初めて第一作を観たのは大学生当時、『ぴあ』で探し当てた都内の名画座でのことだった。

ひさびさに劇場で観たゴジラに、私は圧倒された。そこには政治があり、ＳＦがあり、ロマンスがあり、怒りがあり笑いがあり、恐怖があり希望があり、つまりすべてがあった。たかが怪獣映画、どころではない。邦画ベストテンをいますぐ選べと言われたら、私は小津でも黒澤でもなく、本作を一位に推すだろう。

『ゴジラ』第一作は、昭和二九年の日本という時代背景を抜きには考えられない作品である。しばしば指摘されるように、ゴジラは核と原子力の隠喩であり、同時に戦争の隠喩でもある。ゴジラが東京に上陸する経路が、東京大空襲でB-29が辿った経路と同じであるというのはあまりにも有名なエピソードだ。

ゴジラの足下には常に大八車を引いて逃げ惑う民衆がいた。「また疎開かあ」と呟くサラリーマン。子どもたちを抱きかかえ、「もうすぐお父ちゃまのところへ行くのよ」と言い聞かせる戦争未亡人。崩壊するテレビ塔から実況を続けつつ絶命していくアナウンサー。病院にあふれる負傷者。嵐の夜、目の前で母と兄を圧死させられた少年は、悠然と去って行くゴジラを前に「ちくしょう、ちくしょう」と吐き捨てることしかできない。

ゴジラが上陸し海へと去った翌日の東京は、さながら空襲で焦土と化したあの光景の再現だった。ラジオから響くのは乙女たちの歌う「平和の祈り」。圧倒的な破壊神を前にして、人間にはもはや祈ることしかできない。戦場で負傷し隻眼となった芹沢博士が、残されたカップルの幸福を祈りながら海中に没していくラストまで、この作品は痛切な悲哀に充ちている。何か決定的なものが喪失される恐怖と、二度とは取り返しがつかないという悲しみ。この恐怖と悲しみの融合こそが、初代『ゴジラ』の本質だった。

いかなる怪獣映画もあの原点を超えることは決してないだろう。戦争の隠喩として怪獣が描かれ得たあの時代。嵐の過ぎた大戸島の山頂からぬっと顔を現す真昼のゴジラ、あのシーンに匹敵する恐怖と驚愕を「怪獣」がもたらすことはもはやない。それはスピルバーグが『ジュラシック・パーク』で描いた「立ち上がるブラキオサウルス」に匹敵する衝撃を、もはや3DCGが決して描き得ないことと同じ理由によるはずだ。

『シン・ゴジラ』の「語り口」

さて、『シン・ゴジラ』である。

これは私がことさらに言うまでもあるまい。ゴジラシリーズでは初代に並ぶ最高傑作、さらに個人的には、少なくともこの一〇年以内で観た〈邦画〉中、傑出した作品だった。きわめて限られた予算(一五億円、ちなみに〝ギャレゴジ〟は一六〇億円)で、あっさりとハリウッド版のゴジラを凌駕してしまったのだ。北米公開後の評判も上々と聞いたので、質の普遍性という点では文句なしの出来映えとみるべきだろう。

さんざん指摘されつくしたことだが、最大の勝因はその語り口だろう。〝女子供〟で保険をかけたがる邦画の悪弊を一蹴して、スーツと作業着姿の(主に)公務員たちの群像劇が展開する。内面の描写も最小限に留め、思惑と意見と行為の積み重ねから意思決定がなされるプロセスが克明かつユーモラスに描かれる。

一個体で進化を続ける完全生物、というアイディアは、欲望も目的もわからない純粋な破壊神という性格をことのほか強く印象づける。尻尾だけの原索動物から魚類、爬虫類と段階的に進化する設定は、「個体発生が系統発生を反復する」という意味で『崖の上のポニョ』と同じ。あちらも津波を描いていることも偶然ではあるまい。

ゴジラによる破壊シーンは全体の十分の一もないが、特撮史に残る名場面のつるべ打ちだ。鎌倉の海岸から上陸し、住宅地を進むゴジラの雄姿は、着ぐるみ感とスケール感の両立という点からも、過去最高の水準である。空気遠近法＋俯瞰ショットは、まさしく「これが観たかった」という欲求を充足してくれた。住宅地の上（電柱！）をゆっくりと旋回するゴジラの巨大な尾は本作を象徴する名シーンだし、自衛隊のヘリや戦車視点からの攻撃描写もありそうでなかったアイディアだ。

さらに特筆すべきは、ゴジラ覚醒のすさまじい破壊シーンだ。口のみならず全身から発射される熱線によって、一瞬で戦闘機も都市も焼き尽くされる場面の美しさと絶望感たるや、従来の特撮作品では味わったことのない感覚である。このシーンに思わず涙した私を含む多くの特撮ファンの胸に去来したのは「物凄いものを観た」というショックに加え、「もうわかった、もうやめてくれ」という相矛盾する感情ではなかったか。

震災と原発の隠喩

さて、初代のゴジラが戦争と原爆の隠喩であったことはすでに述べたとおりである。ならば『シン・ゴジラ』はどうであったか。こちらが震災と原発の隠喩にほかならないことにも、異論は少ないだろう。

もっともそれが顕著なのは、多摩川河口から大田区内の呑川を遡上する第二形態のゴジラである。ゴジラの遡上で押しのけられ折り重なるボートのシーンは、直接に3・11の津波動画を連想させる。また、第二形態ゴジラが通り過ぎた後の破壊された市街地に立ち尽くす矢口のシーンも、津波に襲われた後の被災地の光景そのままだ。演出の意図はあきらかである。

いっぽう、ゴジラの存在はそのまま原発に重ねられる。ゴジラは体内にある原子炉状の器官から活動エネルギーを得ているという設定だ。つまり「歩く原発」である。ゴジラの通った後には放射能が検出されるし、その暴走ぶりはメルトダウンを連想させる。樋口真嗣特技監督によれば、ゴジラが迂回路を進行する最大の理由は、飯倉と六本木の間に原子力規制庁があるためだったという（「『シン・ゴジラ』樋口真嗣監督が明かす、ゴジラが迂回ルートを通った理由」http://www.excite.co.jp/News/bit/E1477220600629.html）。規制庁を破壊すると、放射能や半減期の測定ができなくなってしまうので、壊せない。いかなゴジラといえども原子力規制庁の管理には逆らえないという点で、いよいよ原発そのものだ。

うがちすぎかもしれないが、ゴジラを倒す最終兵器は熱核兵器とされている。この点にも原発との類似がほの見える。なぜか。ここから先は私見だが、原発が暴走した際、そこに原爆を投下することは、きわめて乱暴ではありつつも、一つの合理的解ではありうるからだ。

何を言い出すのかと不審に思われただろうか。しかし原爆がなぜ戦略兵器になり得るかと言えば、その被害が一過性だからである。確かに爆発直後に発生する「熱線」「衝撃波」「放射線」によって甚大な被害がもたらされるが、その土地における残留放射線の被害は一過性とされている。つまり、原爆攻撃のあとでその土地を占領できるのだ。しかし原発事故の場合は、チェルノブイリがそうであったように、汚染された土地には半永久的に人が住めなくなる。

なぜ原爆の被害が一過性なのか。これは爆発のさいの超高温（中心温度は１００万℃）によって、爆弾に含まれている放射性物質がすべて一瞬で気化し、これが爆発で生じた上昇気流に乗って成層圏に達し、世界中に拡散してしまうためである。アメリカやソ連の核実験で生じたプルトニウムが世界中で検出されるのはこのためだ。つまりゴジラ（＝原発）一頭程度なら、熱核兵器で攻撃し、そこに含まれる放射性物質もろとも気化させるほうが、周囲への被害は少なくなるという想定が可能なのだ。

本作の結末もまた示唆的である。ゴジラは体内の原子炉から生じる熱を血液循環によって冷却しているため、血液循環が阻害されると生命維持のために緊急停止と急激な冷却を行う。矢口プランはこの特性に目を付けて、血液凝固剤を経口投与し、ゴジラを一気に凍結させることに成功する。これすなわち「冷温停止」である。いったん活動は停止しているが、いつ蘇るとも知れず、解体も撤去もままならない存在として、ゴジラはそこに「在り」続ける。そう、まるで廃炉を待つ原発のように。

原子力のアンビヴァレンス

過去作品を振り返ると、ゴジラとは、戦争と「核の恐怖」の象徴であったのみならず、核がはらむアンビヴァレンス（希望と絶望）そのものの表象であったことが如実にうかがい知れる。日本の高度成長期、鉄腕アトムや8マンをはじめ、多くの「原子力ヒーロー」たちが活躍していた。この時期にゴジラが「善玉化」したのはゆえなきことではない。一九六四年に公開された第五作『三大怪獣 地球最大の決戦』で、ゴジラは初めて人類の味方として登場した。以後、新作が作られるごとに娯楽色が強まり、ゴジラの頭身数も小さくなって愛嬌のある顔つきに変化していく。ゴジラは地球を襲うキングギドラを、ヘドラを、ガイガンをメガロをメカゴジラを、人類のために退治し続けた。

一九六〇年代から七〇年代初頭にかけてのゴジラは、少年たちの正義のヒーローにほかならなかった。私が熱狂したのは、まさにこの時期のゴジラに対してである。こうした「正義の味方」ぶりのピークは、個人的には日本テレビ系で放送された特撮ヒーロー番組『流星人間ゾーン』（一九七三年）にゲスト出演を果たした頃だろうか。

いわゆる「平成ゴジラシリーズ」についても少しだけ触れておこう。こちらはそれまでの「ゴジラ史」をリセットするかのような悪役に変貌する。一九八四年に公開された橋本幸治監督作『ゴジラ』では、ゴジラは異常なまでに放射能に執着を見せる。ソ連の原子力潜水艦を襲撃したかと思えば、静岡県の井浜原子力発電所に出現、原子炉から放射能を全て吸収してしまう。

この作品が、ちょうどスリーマイル島原発事故（一九七九年）とチェルノブイリ原発事故（一九八六年）との間に作られたことは偶然ではない。すでに原子力は、希望のテクノロジーから災厄のそれへと変貌しつつあったのだから。

さらに『ゴジラVSデストロイア』（一九九五年）において、なんとゴジラは〝メルトダウン〟を起こして死んでしまう。このとき発生した放射能はゴジラジュニアがすべて吸収した。核によって覚醒した怪獣は、生ける原子炉へと変貌し、あげくに親子間で核燃料サイクルまで形成してしまったのである。

ゴジラの反復

確認しよう。初代『ゴジラ』は「戦争」の象徴だった。『シン・ゴジラ』は原発の象徴だった。そのような作品が、なぜ日本で作られ得たのか。

初代『ゴジラ』も『シン・ゴジラ』も公開された時点で記録的な観客動員数を達成した。ところがどちらの作品も、その年の興収トップにはなれなかった。奇しくも同名の作品にトップを阻まれたのである。そう、『君の名は。』だ。この偶然についてはすでにネット上などに多くの指摘がある。

ゴジラにはこうした偶然がついて回る。もう一つ例を挙げるなら、『シン・ゴジラ』以前に日本で製作されたゴジラシリーズのラストを飾った第二八作『ゴジラ FINAL WARS』は、自衛隊がイラクに派遣された二〇〇四年に公開された。いわゆる〝ギャレゴジ〟(ギャレス・エドワーズ監督『GODZILLA ゴジラ』)の公開は、その一〇年後、集団的自衛権の行使容認が閣議決定された二〇一四年である。

それがなんだと言われればそれまでだが、ゴジラという作品は、常に社会や歴史と反復的な構造を共有しているように思われてならないのだ。

結論を先取りしておくなら、ゴジラはトラウマの想像/創造的反復として降誕した、と私は考えている。

私はかつて、日本人が原子力に対してなぜこれほどまでに両義的な思いをいだくのか、分析を試みたことがある(『原発依存の精神構造——日本人はなぜ原子力が「好き」なのか』新潮社)。結論だけをかいつまんでおけば、そこに「原子力の享楽」があったからだ。原爆投下や原発事故のように、繰り返される外傷体験、なすすべもない受傷体験は、制御できない享楽として、繰り返しわれわれを惹きつける。だからわれわれは、「原発の夢」を断念できない。外傷を外傷のまま象徴化してしまえば、それは必然的に「反復の構造」と外傷への固執をもたらすだろう。震災後に子どもたちの間で流行したという「津波ごっこ」という遊びには、治療的な面と侵襲的な面がともにある。単純な象徴化には、原事態を無自覚に反復してしまう危険がともなうのだ。

戦争を、原発事故を、「ゴジラ」として想像的に反復すること。明確な反復の意志を持って、精度の高いフィクションとして、トラウマを反復してみせること。そこにははっきり「治癒」と呼びうるような契機が潜んでいる。どういうことだろうか。

トラウマによって傷ついた心は、しばしば固く狭隘なものとなる。トラウマの原因となった出来事が「起こらなかった可能性」を信じることができなくなる。その結果、彼ら彼女らは、トラウマの起きた「現在」の中に凍結されてしまい、他の「可能世界」を夢想する可能性を閉ざしてしまう。

しかし「ゴジラ」という異物を投入することで、ふたたび「可能世界」が再起動される。それは凄惨な破壊と恐怖に満ちた世界かもしれない。しかし、そこには「ゴジラ」という強力な輪郭がある。この枠組みこそが、私たちの想像力を〝享楽の罠〟（畏れつつ反復すること）から護ってくれる当のものだ。

『シン・ゴジラ』が初代『ゴジラ』に拮抗し得たのには理由がある。私たちの「怒り」と「哀しみ」を背にしたとき、ゴジラが傑作を生み出すのは、もはや「宿命」のようなものだ。それが原因であれ結果であれ、ゴジラは私たちの「外傷を容れる器」なのだ。それが「外傷の器」であるという点で、ゴジラの存在は憲法九条によく似ている。私たちはその器に護られながら、繰り返し自身の外傷と向き合うことができるだろう。そのとき初めて私たちは、外傷（＝戦争と原発）の存在しなかった未来、という可能世界を回復することができるのだ。

大きな幻想の力

「内側」と「外側」

『思い出のマーニー』の試写を見た。本作は今のところ、米林宏昌監督の最高傑作だろう。『借りぐらしのアリエッティ』の時にかすかに感じたぎこちなさやためらいの痕跡はもはやない。タイトルがジブリの伝統である「〜の○○」を忠実に踏襲している点はほほえましくもあるが、宮崎、高畑両巨頭が一切関与せずに作られたという報道が事実なら、スタジオジブリの世代交代をはっきり予感させる作品でもある。

少女の「出立」のふるえを描く、という点では宮崎駿の名作『魔女の宅急便』に匹敵する。もっとも、ファンタジー要素が控え目で物語も坦々と進むので、いくぶん地味に感じられるかも知れない。しかし、思春期を迎えつつある少女が感じる周囲＝世界への違和感を繊細にすくい取っているという点では、『魔女宅』を超えた、とすら思う。

杏奈は幼い頃、事故で両親を亡くして養父母に育てられた。そんな境遇のせいもあって、彼女はずっと、周囲に違和感を覚えている。「この世には目に見えない魔法の輪がある。輪には内側と外側があって、私は外側の人間。でもそんなのはどうでもいいの。私は、私が嫌い」。

この「内側」と「外側」の感覚、現代の思春期を生きる子どもたちなら、嫌と言うほど思い当たることがあるだろう。この思いが彼女だけの思い込みではないことを示すかのように、病欠した彼女を案じて家を訪ねてくれたクラスメートが、彼女の内向性をからかうような言葉をもらしてしまうシーンがある。

そう、いまやこの「輪」は、はっきりとした形で存在する。「スクールカースト」という名前の「輪」が。

スクールカーストとは、教室内における身分制である。主に中学・高校の生徒間におけるヒエラルキーを指す。一般にクラスが替わると、好きなもの同士のグルーピングがはじまる。かつて、こうしたグループ同士は横並びで、露骨な力関係はなかった。しかし、今ははっきりと階層化されるのだ。

カースト上位者は、一般にコミュニカティブで友人が多く、クラスにおけるさまざまな決定権を独占している。カースト下位者はこの逆で、コミュニケーションが不得手で友人も少なく、教室内では実質的な決定権や発言権をなにひとつ持っていない。これらの階層はしばしば固定されがちで、いじめの温床になりやすいとされている。

カーストを決定づけるのは、基本的に「コミュ力」だ。学校の成績もスポーツの得手不得手も、もはや実質的には関係ない。誰かがその子の階層を決定づけているわけでもない。ただ教室の「空気」こそが、その階層を自動的に決めている。それぞれの生徒は、驚くほど従順に自分の階層を受け入れる。そう、杏奈がみずからを、進んで「輪の外側」に位置づけたように。クラスという「中間集団」の空気に、個々の生徒は進んで従うのだ。管理する側にとっては理想的な全体主義の完成である。こうした状況を、社会学者の内藤朝雄は、適切にも「中間集団全体主義」と呼んだ。

杏奈はまだ一二歳なので、それほど露骨な階層化の影響は被っていないかも知れない。しかし、少なくともその入り口にさしかかっていることはうかがえる。杏奈が地元の夏祭りに誘われ、気乗りしないまま出かけるシーン。杏奈はおしゃべりでおせっかいな地元の中学生に、自分の瞳の色（実は物語の根幹に関わる指摘）を指摘されて腹を立て、思わず「ほっといてよ、ふとっちょぶた！」と罵倒してしまう。しかし、罵（のの）られたほうも黙っていない。

「普通のフリをしてもムダ。だって、あんたは〝あんたの通り〟に見えてるんだから」。

何気ない言葉だが思わずうなった。みごとなまでの「倍返し」。思春期を迎えた女子にとって、これほど突き刺さる言葉もあるまい。これは、おおらかさを装いつつ、ひそかに肥満を気にしていた少女が、いざという時のために研ぎ澄ましておいた〝とっておきの刃〟に違いない。

見かけ上、これは〝悪口〟ではない。にもかかわらずこの言葉は、「自分が嫌い」で「別の自分になりたい」、すなわち「〝普通〟でありたい」と願う少女にとって、いきなり崖から突き落とすような鋭利な言葉だ。ここに期せずして『アナと雪の女王』の「ありのままの姿見せるのよ」との呼応を見て取るのは深読みが過ぎるだろうか。

自己愛と〝秘密〟

友達の多い肥満少女はカースト上位者。よそ者で孤立している杏奈はこれでカースト下位決定である。「輪の外」にいるほかはないことを受け入れているかにみえる杏奈も、〝内側〟に入れず人を傷つけてしまう自分が許せない。本当は〝内側〟に憧れ、他人から好かれたいと願っているからだ。しかし、彼女はそうした感情を〝否認〟し続ける。ここにあるのは、自己への執着ゆえに自分自身を切り刻み、ますます自分自身から排除されてしまうという悪循環である。

こうした葛藤は、杏奈が「孤児」であり「貰いっ子」であるという特殊な環境ゆえではないか、という指摘もあるだろう。確かに、原作においてはそうだったかも知れない。米林監督の巧みさは、原作の問題を再解釈によって普遍化してみせた点にある。そう、現代の思春期を生きる子どもたち、とりわけ〝輪に入れない〟子の多くは、〝自分自身を受け入れられない〟という意味において、まるで「孤児」のような葛藤を抱え込むのだ。

自己愛と自己嫌悪の悪循環から抜け出すには、他者の介在が欠かせない。自己心理学を創始した精神科医、ハインツ・コフートは、人間の自己愛は生涯を通じて成熟し続けると述べた。このとき成熟の契機をもたらするのは「自己対象」と呼ばれる、親密な他者とのかかわりである。言い換えるなら、他者の介在なくして自己愛の成熟は起こらない。

マーニーという幻想のパートナーの導きがなければ、杏奈は自分自身を、そして他者を、受け入れられないいままだったはずだ。その意味で、私が二度目にうなったのは、あの「約束」のシーンである。

マーニーに「わたしたちのことは秘密よ、永久に。」と告げられ、杏奈は約束する。杏奈はついに最後まで、マーニーとのことを秘密にし続ける。何気ないことのようだが、私は完全に意表を突かれた。ここにはひとつの〝臨床的真理〟が存在する。〝完全に秘密にされた幻想は、現実と区別がつかない〟という真理が。幻想は、語られることで反証にあい、幻想化されてしまう。だから幻想は忘れ去られてしまう。しかしもし、自分だけの幻想を誰にも打ち明けなかったら？

「自分が嫌い」な子どもたちは、しばしば〝秘密を守れない弱さ〟を抱えている。他者からの承認に飢えている彼らは、ついつい自分を〝安売り〟してしまいがちだ。そう、自分の大切な幻想でさえも。自分を生かしてくれる幻想を表出せずにはいられないのが、いわゆる「中二病」の特徴である。しかし杏奈は、秘密を守り抜いた。だからこそマーニーは、彼女の思い出の中で「現実」になりえたのだ。

ところで私は以前、『下妻物語』から『アナ雪』に至るダブルヒロインものに共通する構造として、「ひきこもりがちではあるが特殊な才能を秘めたヒロインを、社交性が高いもう一人のヒロインが『社会化』しようとする話」と指摘した(『熱風』二〇一四年六月号)。そして、おそらく「思い出のマーニー」においても、「女性の社会化」が描かれるであろう、と。その予測は、なかば当たり、なかばは外れた。

杏奈はある意味では「社会化」されるが、それはマーニーという幻想、すなわち自己対象の支えによって可能になった。むしろ本作は、たとえ幻想であっても、いや幻想こそが、自己愛を支え、成熟させる契機たりうることを教えてくれる。もちろんそれは、ナルシシズムの回路に過ぎないのかも知れない。しかし、自己への執着ゆえに自らを傷つけるという〝自家中毒〟から解放されるべく、私たちは時として、大きな幻想の力を借りなければならない。

この視点から読めば、本作のキャッチコピーである「あなたのことが大すき。」が、いかに複雑な拡がりを持つ言葉であるかがわかる。「私」も「彼ら」も、すべて包み込む「あなた」。そう、この言葉は「私は、私が嫌い」を乗り越えるための、魔法の呪文だったのだ。

欲望の倫理、またはセクシュアリティ

「最悪」の作家

ラース・フォン・トリアーは、自他共に認める「うつ病」圏の映像作家だ。

彼の発言として知られる「基本的に人生におけるすべてが怖い」という言葉は、真のうつ状態を実際に体験したものならではのものだろう。ただし、その「うつ」は、最近流行の軽症タイプのものではない。おそらくは循環気質圏内のものでもない。彼の「うつ」は、そう言って良ければ古典的タイプのうつ病、いわゆるメランコリー親和型のうつ病に限りなく近いもののように思われる。

うつ状態の際における世界の認識は、常に「最悪」に照準される。単純な悲観論では決して終わらない。うつ状態の苦しさは、日常的な感情と地続きであると誤解されやすいために、しばしば軽視される傾向がある。しかし、そこには単なる悲観論や無気力という状態に留まらない、質的な違いがある可能性を想起しておくべきなのだ。たとえば体験者による次のような描写。

奈落のイメージには、妙にしっくりと合う部分がある。暗くて、不確かで、コントロールがきかない。だが、実際に深い淵の底に落ちていった場合、コントロールは、できるできないの問題ではない。永久にコントロール不能なのだ。そこには、自分がもっとも必要とするときに、そして自分にあって当然なのに、コントロールする力を失ったという恐るべき感覚がある。（中略）うつ病のとき、現在おきているあらゆることが、未来に生じる苦痛の前ぶれとなり、現在としての現在は、もはや存在しないのだ。（アンドリュー・ソロモン『真昼の悪魔〈上〉うつの解剖学』原書房）

この感覚は、統合失調症の恐怖とも恐怖症の恐怖とも異なっている。恐怖症について言えば、それは恐怖の対象が限定的であるがゆえの恐怖であるし、統合失調症の恐怖とは、ひとことで言えば「未知」の強度に圧倒される経験だ。

これに対して、うつ病患者の感ずる恐怖とは、累積し圧縮された「既知」の事物にうちひしがれる恐怖である。「最悪」は常に「既知」から出現する。そうした意味でうつ病患者は、しばしば「最悪」に取り憑かれずにはいられない。

たとえば初期の傑作である『奇跡の海』は、こうした「最悪」の好例である。

純粋無垢で敬虔なクリスチャンであるベスは、およそ貞淑な妻にとって最悪と思われる宿命におかれる。夫が事故によって下半身不随になるという展開は、考えようによっては「死」よりも悪い。しかもその夫からの正気の沙汰とも思えない命令によって、他の男と寝ることを強要されるのだ。

その行為をするたびに病状の回復が起こるようにみえるため、ベスは行為の有効性をすっかり信じ込んでしまう。ふしだらな行為ゆえに教会から追放され、子どもたちからは「売春婦!」と文字通り石を投げられつつも、彼女は裡なる神との対話に励まされつつ、荒くれ男たちの船に身を投じる。陵辱の果てに彼女は「私が全部間違っていた」とつぶやき絶命する。

この結末が「最悪」なのは、ラストで夫ヤンが奇跡的に回復するためだ。回復が起こって天空に鐘が鳴り響くラストシーンは、神の恩寵のこのうえない存在証明にほかならない。だとすれば神は取引をしたのだ。彼らの神は、ヤンの回復とベスの死を等価交換した。その意味でヤンとベスは、決して共存が許されていないことが、あらかじめ決定済みだったというわけなのだ。

セルマ=アンティゴネー

あるいは『ダンサー・イン・ザ・ダーク』もまた、『奇跡の海』と同じ「最悪」の構造を持っている。

こちらもストーリーはシンプルだ。六〇年代のアメリカ、チェコから移民してきたセルマは、工場で働きながら息子ジーンを育てている。生活は貧しいながらも親切な友人や隣人に支えられ、またアマチュア劇団で好きなミュージカルの稽古を楽しむ日々。

しかしセルマには秘密がある。遺伝性の眼病のため、彼女は視力をなくしつつあり、息子のジーンも同じ宿命を辿ることになるのだ。彼女は工場や内職でジーンの手術費用をこつこつと貯めていた。しかしある時、信頼していた友人に貯金をそっくり盗まれてしまう。金を返してもらいに行ったセルマは、銃の暴発で彼を死なせてしまい、強盗殺人犯として誤認逮捕される。しかしセルマは秘密を守るため、けっして真相を語ろうとはしない。再審の可能性も拒んで死刑判決を受け入れるセルマ。

こちらでセルマが執着するのは「ジーンの眼の手術が成功すること」だ。息子が動揺することを防ぐため、セルマはことの真相を決して語らない。おのれの欲望に忠実たることで、セルマもまた自ら進んで「最悪」を選択してしまうのだ。

ベスとセルマの存在をわれわれが愛さずにはいられないとすれば、そこに自己犠牲の精神を見て取るからだろうか。確かにそれもあろうが、必ずしもそればかりではない。確かにベスの行為は自己犠牲的だが、セルマの願望（息子の手術）の実現については、必ずしもセルマの犠牲が必須とは思われない。例えば息子のためにジェフの求愛を受け入れて生きるという選択はありえなかったのか。

実はその選択はあり得ない。物語上重要なのは、「二人ともそのようにしか生きられない」という必然のほうである。彼女たちは自らの欲望に従うかにみえて、実は同時に超越論的な命令に従っている。また、だからこそ二人の行為は、きわめて「倫理的」と言いうるのだ。

ならばそれはいかなる「倫理」か。「自らの欲望を断念しない」という形式の倫理だ。ラカンがソフォクレスの悲劇『アンティゴネー』に依拠しつつ導入してみせた、精神分析の倫理がこれである。

オイディプスの娘アンティゴネーは、王であるクレオンの禁止に逆らって、反逆によって戦死した兄ポリュネイケスの遺体を埋葬し、彼女も死刑を宣告される。アンティゴネーは地下に幽閉され、そこで首を吊って死ぬ。

ある意味でソフォクレスは、トリアー以上に鬼畜作家だ。なぜならこの悲劇はアンティゴネーの死では終わらない。この後さらなる「追い打ち」が待機しているからだ。

実はクレオンは、預言者の神託と長老の進言を受けてアンティゴネーへの処分を撤回していた。しかし時すでに遅く、アンティゴネーは縊死した後だった。クレオンの息子でアンティゴネーのフィアンセだったハイモンは父を恨んで自死、息子の死に絶望したクレオンの妻までも自殺してしまう。考えようによってはクレオンが最も踏んだり蹴ったりの悲惨な目に遭う、という話なのだ。

『ダンサー〜』に置き換えて考えるなら、これはセルマの死後に無実が判明するような話で、それはそれで「最悪」だ。しかし、もしこの映画でそれをやっていたら、それはいささか「やりすぎ」で、多分に感興をそがれたであろうことは想像に難くない。

ミュージカル映画としての「最悪」は、やはり「終わりから二番目の歌」があのような形で〈切断〉されることにほかならないだろう。

「欲望の実現」と倫理性

『アンティゴネー』に関連して言えば、ラカン派哲学者のアレンカ・ジュパンチッチは、次のように述べている。

> 一般にラカンの『アンティゴネ』論は、アンティゴネが欲望の人であること、および「欲望に見切りをつけてはいけない」ことを論じるものだと考えられている。しかし、そこで用いられている「欲望の実現」というラカンらしからぬ表現にも注目しなくてはならない。アンティゴネがアンティゴネであるのは、単に彼女が欲望に見切りをつけないからではない。正確に言うなら、それは、彼女が欲望を実現しているからである。(『リアルの倫理――カントとラカン』河出書房新社)

ならばその「欲望の実現」とは、一体何を意味するか。

それは「棄てることのできるもの『すべて』をひとつの『全体』にまとめ上げ、欲望の絶対的条件を真に絶対的なものにすることである。つまり、それは、可能性として無限である要求の対象の集団を閉じ、唯一真に重要な無限、つまり無条件なるものの無限性、絶対的条件の無限性をこの集合から区別することである」（前掲書）。

知られるようにアンティゴネーは、岩の牢に閉じ込められて嘆き悲しむ。「私にはお祝いの歌も、初夜の床も、夫婦生活の喜びもない」と。それまで世俗的な欲望（女としての歓び！）に無関心であるかに見えた彼女にして、この嘆きはいささか不釣り合いだ。しかしジュパンチッチによれば、この嘆きこそが重要なのである。なぜなら先述したように、彼女はその嘆きの歌の中で、その早すぎる死によって失われるすべてについて嘆き悲しむからだ。

「可能性として無限につづく欲望の横すべりが一度に実現されることにより、この横すべりに終止符が打たれることになる」（前掲書）。これすなわち「欲望の実現」である。

ここに至って、少なからぬ人がセルマのあの歌を想起するだろう。そう、ジェフと線路を歩くシークエンスで歌われる "I've seen it all" である。


私はすべてを見てしまった。私は木々を見た。

私は風にそよぐ柳の葉を見た。

私は親友に殺された男を見た。
人生のなかばで終わってしまう生を見た。
私は自分が誰だか知っている。これからどうなるかもわかっている。
私はすべてを見てしまった。もう他に見るべきものはない。(拙訳)

ここでは「見る」ことは欲望であり、歌われているのは「見る欲望の横すべり」を断念することにほかならない。すなわちアンティゴネー=セルマが体現する「倫理」とは、「決して欲望を断念しないこと」のみならず、「何かひとつのものを手に入れたいならば、その他のものすべてに見切りをつけなくてはいけない」(前掲書)ことを意味しているのだ。

ここに至って、セルマの選択がことごとく、この倫理に基づいていることが見えてくる。ミュージカルの練習をあきらめ、ジェフからの求愛を退け、親友キャシー(クヴァルダ)の提案を却下し、新しい弁護士との契約を断り、減刑の可能性にも執着しない。すべては息子ジーンの目の手術を成功させるためだ。彼女の最後の武器である「歌」までもが無残に中断され、それが忘れがたい印象を残すとすれば、彼女の苛烈なまでの倫理性が、われわれの欲望の〝はしたない無限性〟を逆照射して止むことがないからだ。

セックス依存症

さて、トリアーの新作『ニンフォマニアック』である。

本作もまた、断念されがたい欲望を巡る物語だ。いや、むしろヒロインであるジョーの性欲が、本当に依存症のレベルのものであるのなら、それこそは最も断念されがたく満足することが困難な、いわば純粋欲望とも呼ばれるべきものである。

物語はとある冬の夜、初老のインテリ男性セリグマンが裏路地で負傷し倒れているジョーを助けるシーンから始まる。セリグマンは彼女を自宅に連れ帰り、服を着替えさせてベッドに寝かせ、事情を尋ねる。ジョーは問われるままに自身の性遍歴を語りはじめる。

この形式はオーソドックスながらかなり有効だ。告解というか色懺悔というべきか、ともあれ五〇歳のジョーがリニアーに自らの性遍歴を振り返るなら、これはごく自然な形式である。ときおり差し挟まれるセリグマンの解釈は精神分析のパロディのようで、実際その手の用語も飛び出すし、このあたりはいくぶんコメディ的に見えないこともない。

余談ながらセリグマン役のステラン・スカルスガルドは、『奇跡の海』ではベスの夫ヤンを演じている。トリアー作品の常連だからこういうことも起こるわけだが、この対照ぶりは偶然とも思われない。

とりあえず、教科書的な確認をざっと済ませておこう。

ジョーは本作ではニンフォマニア、すなわちセックス依存症とされている。ＤＳＭ５には登録されなかった臨床単位だが、現実には治療対象となっており、自助グループも存在する。

一般にこの障害は、女性は男性の三分の一程度の頻度であるとされ、女性は男性ほどストレートに快楽の追求をするわけではないと言われている。不特定の相手と性交渉を繰り返す女性の性行動は、しばしば自傷行為と見分けがつかなくなる。またそうした女性は、過去に性的な虐待被害を受けるなど、特異な経験を経ていることも少なくない。

しかしジョーにはそのような過去はない。母親はソリティアばかりやっている冷たい女と言われているが、ネグレクトというほど深刻なものではなさそうだ。彼女は幼い頃から女性器に関心があり、一二歳である決定的な経験をする。ジョーの性遍歴は、その経験のあくなき追求と言った趣を帯びており、彼女は治療的介入を敢然とこばむ。もっとも、これに限らずトリアーの精神医学や心理療法への不信感には根強いものがあり、その一端は『奇跡の海』や『アンチクライスト』などにもはっきりと表明されている。

ジョーのセックス依存は、一般的なそれとはやや異なる。彼女は性的快楽は追求するが、「関係性」にはまったく関心がない。友達とチョコレートを賭けて、電車内で何人の男性をものにできるかを競い合うシーンが象徴的だ。

彼女は複数のセックスフレンドと付き合っているが、関係を続けるか切るかはサイコロ任せ。うっかり「妻子を棄てられないなら別れる」と口にしてしまったため、本気にした男が本当に妻子を棄てて自分のもとにやってきてもどこか迷惑げだ。男を追って妻子が部屋に乗り込み愁嘆場を演じてみせてもまったく無関心。彼女にとって、性行為以外の要素はおよそノイズでしかないのだ。

セクシュアリティの「否認」とは

このような性感の求道者が実在するかどうかはなんとも言えない。彼女のしていることは、性器的快感、すなわちファルス的享楽の追求であり、そのたたずまいはきわめて男性的だ。

関係性の要素を排した快楽の追求は、次第に袋小路へと迷入していく。あるときは言葉の通じない黒人男性を試してみたり、ついにはほとんど抽象的なまでに関係性を切り詰めたSM空間に至る。ジョーは家族を棄ててまでその世界にのめり込んでいく。彼女は関係性を除去すればするほど、強い性的快楽が得られると確信するかのようだ。

ジョーの性遍歴には伴走者がいる。彼女の初体験の相手であるジェロームだ。ジョーはジェロームと四度出会い、四度ともすれ違う。初体験は処女喪失だけが目的だった。秘書として就職したら偶然にも上司はジェロームだったが、口説かれてもその気になれなかった。ようやくジェロームと結婚したときにはジョーは不感症になっていた。そして四度目。ジョーはそこで快楽どころか手ひどいしっぺ返しを食らって路上に倒れることになる。そしてセリグマンに拾われる。

長い性遍歴の果てにジョーはセリグマンに語る。セクシュアリティを棄てたい、と。今度こそ、自分のありとあらゆる頑固さを動員してでも、それを成功させてみせる、と。その真摯な決意には、つい応援せずにはいられなくなるが、残念ながらそうはいかない。

精神分析によれば、人間はおのれの存在論の根底においてセクリュアリティを刻印されている。ファルスの去勢という過程こそが人間をして「語る存在」たらしめるとすれば、人間が性の極性を決して逃れられないのは自明のことだ。性の捨象、性の相対化、性の生物学主義化、そのいずれもが「否認」の身振りに過ぎない。人間は決して性的であることを免れないからだ。だからこそ性は人を深く傷つける一方で、性的承認は時としてこのうえない救済たり得る。そして性は、性関係抜きにはありえない。

この点から考えるなら、ジョーの「セックス依存」こそは、究極の性の否認にほかならない。彼女の追求は関係性の排除の上に成り立っている。そう、ここでは「性的欲望を断念しないこと」が、性関係の否認のもとで、性欲そのものの否認に通底してしまう。このパラドックスを取り扱いかねて、本作は四時間以上もの長尺作品となった。

ふたたびアンティゴネーを想起しよう。彼女は「女の歓び」を経験できないことを嘆きながら死んでいった。つまり彼女の断念は、女であることの肯定の上に成立していた。セルマが女であること、母であることを断念できなかったように（何故子どもを産んだ、と問われてセルマは「赤ちゃんを抱いてみたかった」と答える）。

だからこそジョーの否認は、最後に登場する思いがけない伏兵によって木っ端微塵にされるだろう。このラストにさしたる意外性がないとすれば、このシーンにたどり着くまでに、われわれは「性否認の不可能性」に十分気づかされているからだ。それが本作の企図ならば、トリアーは十分に成功している。そしてわれわれは、あらためて認識するだろう。われわれの倫理の公準に「汝自身のセクシュアリティを否認してはならない」という項目が書き込まれていたことを。

それゆえ本作に教訓があるとすれば、「濫用もまた否認の身振りにほかならない」という依存症臨床のひとつの常識を、性依存についてきわめて説得的に展開して見せた点である。

飲み干せ、そのミルクシェイクを

映画的強度

ポール・トーマス・アンダーソン（以下ＰＴＡ）がすでに「巨匠」の一人であることに疑義はないだろう。作品の任意のワンシーンを観れば、彼がいかに〝映画に愛された作家〟であるかが瞬時にわかる。そう、もうひとりの巨匠であるデヴィッド・リンチが〝映画に恐れられた作家〟であるのと同じ意味で。

たとえば『ゼア・ウィル・ビー・ブラッド』（以下『ＴＷＢＢ』）における、油田火災を茫然と見つめるダニエル・デイ＝ルイスのシーン。同作において主人公が、ライバルとおぼしいカルト教会の牧師に屈辱的な洗礼を受けるシーン。あるいは『ザ・マスター』における、船上から眺める船の航跡のシーン（これは三回繰り返される）。背中を丸めた主人公が陽光降りそそぐビーチで〝抜く〟シーン。

単に画面設計のスキルが高いだけでは決してなしえない「強度」がそこにある。ここで「強度」という言葉は、安易な印象批評用語ではない。それというのも私が言いたいのは、単に命名や言語化に抵抗する高い質感、ないし強い印象について、などではないからだ。ここで強度とは、画面から「意味」を奪って「文脈」を与える作用を指している。そして「意味の欠如」と「高い文脈性」とは、またなんとＰＴＡ作品に似つかわしい表現であることか。

彼は疑似家族的関係性を描くと評される。確かに作品歴を眺めれば、その傾向は否定しがたく存在するだろう。ここで重要なことは、そうした家族機能における徹底した「母性」の弱体ぶりだ。むしろ擬似的な父性が共同体を志向しつつ頓挫し続ける話、そう呼ぶべきではないだろうか？

残念ながら最新作『インヒアレント・ヴァイス』は未見だが、Ｔ・ピンチョン原作のコメディであるとは聞いている。コメディ作品には作家の資質が構造的に表れやすいため、今回言及できないのは残念だ。しかしすでに言及した『ＴＷＢＢ』と『ザ・マスター』は、いわば二卵性双生児のような作品であり、とりわけ『ＴＷＢＢ』にははっきりとした「構造」がある。以降はこの作品を中心に論を進めたい。

原作であるアプトン・シンクレアの『石油！』（平凡社）とは、設定と登場人物の一部しか重なっていない感の強い『ＴＷＢＢ』は、個人的には『マグノリア』以上に強烈な作品だ。そこには感動も激励も教訓もない。ただ「何か異様なものを目撃した」という感慨だけがいつまでも持続する、純度の高い傑作である。

とにかく主人公である山師、ダニエル・プレインビューの執念と生命力がすさまじい。恐ろしいのは、彼は何かしらに対して確実に執着しているはずなのに、その先にあるものがまったく見えないのだ。石油なのか、財産なのか、スリルなのか、ライバルなのか、はたまたその都度の「対象」なのか。

彼は採掘途中に死んだ仲間の赤ん坊を引き取ってH．W．と名づけ養子にする。原作では主人公はむしろこちらの子の方なのだが、映画ではおよそ影が薄い。というか、ダニエルの影が強烈すぎるのである。

PTAは『ザ・マスター』についてのインタビューで、次のように述べている。「フレディはとても衝動的なキャラクターで、人物像が固まるのも早かった。一方ランカスターの場合は、多くのリサーチをもとにしている。最初はL・ロン・ハバードのことを研究した。ハバードは素晴らしいキャラクターなんだ。生命力旺盛、エネルギーが満ち溢れていて、常にたくさんのアイディアを抱えている。でもそれはほんのスタート地点で、そこにオーソン・ウェルズのような桁外れな人物のイメージを加えて、欲望に突き動かされるキャラクターを作り上げた。僕は彼らみたいなまったく予想もつかない、エネルギーの固まりのような人間に魅了されるのだと思う」（「サイエントロジーの創始者にオーソン・ウェルズのイメージを加えて、欲望に突き動かされるキャラクターを作り上げた」ポール・トーマス・アンダーソン監督が新作『ザ・マスター』のインスピレーションを語る「骰子の眼」http://www.webdice.jp/dice/detail/3813/）。

ならば『TWBB』におけるダニエルは、フレディ以上に「欲望に突き動かされる」「エネルギーの固まり」ではないか。

ミルクシェイクの可能世界

さて、いかにも唐突だが、私には一つの確信がある。『TWBB』の謎を解く鍵は、ラストシーンのかの有名な科白“I drink your milkshake! I drink it up!”に秘められている。ダニエル・デイ＝ルイスのアカデミー主演男優賞のおよそ八割をこの演技が占めていると言っても過言ではない名演技、というか怪演だ（ちなみにこの科白、石油に関する収賄で公聴会にかけられた汚職議員の発言が元ネタである由）。

この過剰な科白を、単に復讐の格好の餌食を前に、勝ち誇るためだけの科白と理解すべきではない。その欲望には、かつて悲願だった石油のパイプラインが転移している。むしろこう考えてみたらどうだろう。この作品のあらゆる細部は、最終的にこの「ミルクシェイク」へと収斂するのだ、と。

そう考える時、本作を巡るすべての謎は一気に氷解する。

はじめにミルクシェイクありき。そう考えてみよう。二人の男が対峙している。一方が一方をなぶっている。勝ち誇る男は、ボウリング部屋の端から端までストローを伸ばすジェスチュアをしてみせ、このストローでお前のミルクシェイクを飲み干してやる、と宣言する。

敗北して泣きじゃくるばかりの男は床に突き転がされ、追い回され、挙げ句にボウリングのピンで撲殺される。なんという奇妙な殺人か。しかし、これが映画だ。このようなシークエンスを目撃するためにこそ、僕たちは映画を観続けて来たのではなかったか。なにも殺人が観たいわけではない。徹底的に理不尽でありながら、しかし「これしかない」という場面のことだ。もしこのシーンがなかったら、私の『TWBB』への愛は半分になってしまう。

このシーンにはすべてが象徴されている。つまり「石油」以外のすべてが。孤独な億万長者。長年の確執。パイプライン。家族の不在。そうした要素の一切が、このシーンへと必然的に収斂し凝縮される。

『TWBB』は、このように終わるしかなかったし、もちろんこれ以外のラストはあり得ない。現実世界に可能世界はあり得ても、優れた映画には可能世界は存在しない。そう、すぐれたフィクションの要件の一つに「可能世界の排除」を挙げてもいいくらいだ。

狂気と性愛

問いの向きを変えてみよう。ならば、主人公ダニエルは、いかなる人物なのだろうか？

このシーンからそれを想像することはひどく難しい。自己愛性人格？　境界性人格？　パラノイア？　愛着障碍？　はたまた発達障碍？　いずれの可能性も否定はできないが、優れた人物造形が常にそうであるように、ダニエルはどこまでも診断に抵抗する。

ここでは物語が人格を作り、人格が物語を駆動する。理想とゴールを欠いた野心だけの男、というものがあるとすれば、まさにそれが該当するのだろうが、そこに「診断名」はないし、「それの何がいけないのか？」と反問されれば沈黙するほかはない。

完璧な狂気は「健康」を要請する。そう、レクター博士がこのうえなく健康かつ聡明であったように。倫理性が健康と無関係なのは、それが「死の欲動」に起源を持つからだ。ダニエルの過剰な欲望は限りなく「狂気」に似ているが、彼の狂気は逆境によって鍛え抜かれたレジリエンス（＝健康）そのものだ。

そう、いささか酒乱の気味があるとは言え、小切手にサインするだけで莫大な資産を維持できるダニエルは、その勝ち組ぶりを維持できる程度には健康だ。彼の健康さは理論的に証明できる。現在、「心の健康」尺度の筆頭格とされる〝ＳＯＣ〟という概念がある。医療社会学者Ａ・アントノフスキーが、アウシュヴィッツから生還してもなお、高い健康度を維持できた人々の調査から導いた概念だ。

およそ人間の考えうる限り最悪のストレスにさらされた人々が、中年期以降も健康を維持し得た秘訣は「ＳＯＣ（首尾一貫感覚）」にあった。これは簡単に言えば、「世の中の大抵のことは想定の範囲内か、やってみればなんとかなるだろうと根拠なく見込めるような自信」の感覚を指している。

この感覚はさらに「把握可能感」「処理可能感」「有意義感」の三つに分類できる。「把握可能感」とは、自分のおかれている状況を一定の文脈に即して理解し、説明や予測ができるという感覚。「処理可能感」とは、たとえ困難な状況にあっても、自分の力で解決し先に進めるだけの能力がある、という感覚。「有意義感」とは、自分の行為が、自分の人生にとって意義のあることであり、時間や労力などの犠牲を払うに値するという感覚を、それぞれ指している。

どうだろうか。ダニエルは完全にこの三点において、むしろ過剰なまでの自信を持ってはいなかっただろうか。

以上でダニエルの「健康度」については十分に論証したが、しかしある種の「奇妙さ」は残る。ダニエルの欲望には、性愛的な要素が徹底して欠けているのだ。石油王となった彼の豪邸には、あるべきはずの「女」の影がない。そればかりか、彼の欲望にはフェティッシュという形式すら欠けているのだ。

だから、むしろこう言うべきだろう。関係性とエロスを欠いた欲望は、純粋な狂気と区別が付かない、と。少しだけ注釈しておくなら、「狂気」という精神科医らしからぬ雑な語法には、「診断基準に登録できない」という以上の意味がある。それは言うなれば、限りなく〝異様〟だが〝異常〟とは言えない欲望の別名なのである。

もちろん「説明」は可能だ。一人で金鉱を掘っていたダニエルは爆発事故で怪我をするが、その際性的不能になった、とか。それゆえ彼が採掘途中に死亡した仲間の遺した赤ん坊〝H・W・〟を引き取ることには必然性があった。「子連れ」という記号が、異性同性を問わない性愛の煩わしさ抜きに、世間に対して異性愛者を偽装する格好の隠れ蓑たりえたからだ。

そして、ここにも「狂気」が絡んでくる。それというのも私たちは、性愛抜きの欲望を信じられないからだ。男達は決して「女を巡る争い」から解放され得ない。これが異性愛者の基本的〝信仰〟だ。だからこそ、この信仰にそむくものには「狂気」、そうでなければ「障碍」のレッテルが貼られるのだ。

言い換えるなら性愛は、狂気を緩和し偽装する契機でもある。『ザ・マスター』におけるフレディの狂気が、ダニエルよりは〝小粒〟に見えるとすれば、まさにそれゆえだ。彼の頭の中には女と酒のことしかない。その偏頗な欲望の背景になんらかのトラウマが示唆され、トラウマはマスターたるランカスターとの出会いを必然化する。つまりフレディにあっては、性愛こそが彼の「狂気」をモノローグ的な先鋭化から守ってくれる当のものなのである。

富豪たるもの、トロフィーワイフの他に愛人の数人くらいはいて当然、とする社会通念がいまだに有効であるとすれば、あらゆる欲望は性愛の隠喩であるとみなしたフロイトの信念を、私たちはまだ嗤えない。カリスマたるはずのランカスターが、その若い妻の支配下にある様は、映画的には安心できる風景だ。そこでは性愛が、かれの狂気に天井を作ってくれる。

しかし性愛から〝解放〟されたダニエルの狂気（＝欲望）には天井も制御棒もない。かくして私たちが目撃するのは、虚構というフレームのもとではじめて可能になった「狂気の極北」である。PTAの作劇法からして、このラストシーンは当初の予定にはなかったか、あるいはシーンのみが先行していたかのいずれかだろう。おそらくは前者であろうが。ケミストリーなどと言えば陳腐だが、「ミルクシェイク」はPTAによる「演出という実験」からの偶然の出力結果にしか見えないのだ。力のある偶然が必然化するという点からも。

ふたたびミルクシェイク

おしまいに欲望の話をしよう。

私はかつて、人間の欲望を「所有原理」と「関係原理」の二つの形式に分割した。セックスならぬジェンダーを考える際に、前者は男性性、後者は女性性と親和性が高い。いわゆる「男らしさ」「女らしさ」、あるいは男女の相互理解の困難さは、この原理的な差異で説明可能である（拙著『関係する女　所有する男』講談社現代新書）。

この差異は男女がいわゆる「エディプス期」をどのように通過するか、その違いによるのだが詳しくは拙著を参照されたい。簡単に言えばこういうことだ。男の欲望の基本形は「持ちたい」である。物欲はもとより、性欲ですらそうした形態をとりやすい。関係した女性の数を誇る、関わった女性の「スペック」を克明に記録する、こうした行動は男性に特異的なものだ。こうした男女差について一青窈は「男は（性愛の記憶を）フォルダ保存、女はフロッピー上書き」と巧みに表現した。

所有欲とは、対象と一定の距離を維持しつつ、その対象を能動的に操作し支配したいという欲望でもある。女の欲望が関係原理、すなわち対象に膚接しまるごと受容したいという形式をとりがちなのとは対照的だ。この違いが際立つのが、例えば「会話」である。男は情報伝達のために会話をするがゆえに結論を急ぐ。女は情緒の共有のために会話をするので結論は不要だ。

『TWBB』において、ダニエルは、説得や罵倒以外の無駄なお喋りをほとんどしない。彼の欲望は、さしあたり石油を採掘し、パイプラインで効率よく輸送する、それ以外には照準していないようにすら見える。その限りにおいて彼は純粋な所有原理の権化であり、言葉の正確な意味においてマッチョの体現者だ。

晴れてパイプラインを完成し石油王として豊かな生活を送るダニエルは、いまや自分に離反した息子のことも捨ててしまい、このうえなく孤独で、しかも虚脱している。わずかな暇つぶしがガラス食器を銃で破壊することなのはいいとして、ボウリングというのはボーリングにかけた駄洒落か何かだろうか。いずれにせよ、満ち足りた余生とはほど遠い。

そこで「ミルクシェイク」である。

この素晴らしいシーンで、ダニエルの欲望の形式が明かされる。彼の所有欲は、ただ所有するだけではおわらない。それは誰かから奪う必要がある。それも、相手にとって、ひどく屈辱的な形で。だまし討ちのようにひそやかに。滑稽なまでに徹底的に。

「たとえばお前がミルクセーキを持っていたとしよう。そしたら俺はこんなに離れていても、ストローで、長あああああああいストローで、お前のミルクセーキを飲んでやる。ズルズルズルズルーってな！　のーみ干してやるぞー！」（町山智浩訳）。

この瞬間に、ダニエルの欲望が関係の契機に開かれる。そう、彼は、所有欲を通じてしか他者と関わることができない。いかなる人間関係もそのために破滅する。彼が〝第三の啓示〟教会の牧師イーライを殺すには、物語上の必然があった。なぜならイーライこそは、関係を通じて人々の所有を目論む存在であり、所有を通じて関係を目指すダニエルとは不倶戴天の仇敵にほかならないからだ。

かくして「ミルクシェイク」は、所有原理と関係原理の根源的な対立と、それにもかかわらず極限まで追求された場合の、相互浸透明な同一性とを示す映画的象徴となったのである。「ミルクシェイク」の定義は書き換えられた。この瞬間の反復こそが、映画の享楽ではなくてなんだろうか。

Aフラットの不在

クイーンのミュージカル

まるでライブ会場だ。総立ちになった観客のシルエットを眺め、思わずそう呟いた。人目もはばからず歓声を上げ、身体を揺らし、拳を中に突き上げるロック中年たち。自分がその一人であることが、これほど喜ばしい日が来ようとは。

ひとつだけ残念なのは、これが、僕がついに見られなかった、本物のクイーンのライブではない、ということ。そう、ここは武道館ならぬコマ劇場。僕が観ているのはクイーンの楽曲だけで構成されたロックミュージカル「WE WILL ROCK YOU」のクライマックス・シーンなのである。

一九九一年一一月二四日。エイズに倒れたクイーンのヴォーカリスト、フレディ・マーキュリーの命日だ。享年四五歳。僕自身がその年齢に近づくにつれ、中学以来のアイドルであるクイーンの存在は、ますます肉親のように親しいものになりつつある。

だからクイーンの楽曲を用いたミュージカルが英国や豪州で成功を収めていると聞いて、僕は素直に喜んだ。ブームに合わせたかのようなクイーン再結成には、さすがに複雑な感慨を抱きはしたけれど。

そのミュージカルが来日したとあらば、これは見逃すわけにはいかない。物語の舞台は近未来。独裁者キラー・クイーンは、コンピュータによる画一的な音楽で世界を支配し、楽器や作曲を禁止していた。そんな世界になじめない青年ガリレオと少女スカラムーシュは、志を同じくする若者達に励まされ、伝説の楽器を求めて旅立つ。自由な音楽を鳴らす日のために。

デジタルで画一的な管理社会にアナログで多様な抵抗の線を引こうというテーマそのものは、映画『マトリックス』でもおなじみだが、これはまあ「お約束」みたいなもの。日本のファンを意識したギャグもかなりベタだ。

でも、この「洗練」とはほど遠いわかりやすさこそが、クイーンの真骨頂なのだ。そう考えてみれば、このミュージカルは実に良くできている。数多いクイーンのヒット曲をまんべんなくちりばめて物語化するなら、ドラマはベタなほうが盛り上がる。

バンドに指揮者がいたのには驚いたが、演奏はスタジオワークにかなり忠実で、俳優たちも難曲を良く歌いこなしていた。ただ、誰が歌っても痛感するのは「誰もフレディの代わりにはなれない」という事実のほうだ。

「境界性」への憧れ

重厚で透明、鋭利で伸びやかな彼の声が、とりわけ「Aフラット」（"I WAS BORN TO LOVE YOU" の歌い出しで言えば "WAS" の音程）にさしかかるときに発揮される、魔法のような輝き。あの「Aフラットの不在」こそが、この物語の通奏低音ではなかったか。

劇場の入り口付近に、フレディの巨大な記念像が立っている。マッチョでフェミニン、下品にして崇高、本物のフェイク、このうえなくタフで誰よりも脆いひと。そんなフレディの「境界性」は、彼の出自（サンジバル島／現タンザニア生まれのインド系イギリス人）からの定めでもあったのだろうか。

美輪明宏という最大のファアリック・マザー（ペニスのある母親）を戴く私達日本人が、フレディにもそうした魅力を感じたとしても、何の不思議もない。フレディの「境界性」への憧れは、独占欲とも排他性ともついに無縁だ。「Aフラットの不在」ゆえにクイーンへの愛は、僕たちを家族のようにする。だから僕は、もう一度コマ劇場に戻ってこよう。そう、次はクイーンファンの彼（彼女）も連れて。

「音楽の無意識」へ

サブカルに愛されるサティ

イッセー尾形の一人芝居に「結婚相談所」という作品がある。N響の楽団員（四十五歳男性、マザコン）が結婚相談所を訪れ、あれこれや無理難題をふっかけるというネタだが、それがいかに笑えるかはひとまず措こう。

ネタの途中、彼がお見合いしたある女性の話題になる。レストランで食事中、ぶりっ子とおぼしい彼女は「趣味は？」という質問に「音楽」と答える。彼が「音楽は誰が好き？」とたたみかけると「サティ」だという。彼は心中密かに嘲笑う。ちょうどレストランのBGMでサティが流れているのに、彼女はまるで気づいていないからだ。

私がこのネタを観たのは九〇年代初頭だが、いたたまれないほどの既視感があった。おそらく彼女はサティのファンと言うよりも「三つのジムノペディ」のファンなのだ。この当時、サブカル好きが例外的に好むクラシックはサティ、マーラー、（作曲家ではないが）グールドだった。

実際、サブカルの現場でジムノペディはたいそう愛された。当時流行した「パフォーマンス（白塗り系）」のBGMとして。あるいは映画音楽として。古くは『鬼火』（一九六三年）、その後も『私の中のもうひとりの私』（一九八九年）、『ホワット・ライズ・ビニース』（二〇〇〇年）、『ザ・ロイヤル・テネンバウムズ』（二〇〇一年）、『僕の彼女を紹介します』（二〇〇四年）、最近では『劇場版 涼宮ハルヒの消失』（二〇一〇年）などで使用されている。

もちろんポップ・ミュージックにもサティはしばしば引用された。ブラッド・スウェット&ティアーズのカバーにはじまり、シンフォニック・ロックバンドのスカイ、ジャネット・ジャクソン、エレクトロニカのアイサンなど。個人的にはゲイリー・ニューマンのシングル「ガラスのヒーロー」（一九八〇年）のB面に収録されたカバー・バージョンに最も思い入れがある。

サティが「クラシック圏外」でこれほど愛される理由は何なのか。クラシックの定番曲の多くは、かくも頻繁に「消費」されると、どんな名曲でも陳腐化を免れない。しかるに「三つのジムノペディ」や「グノシエンヌ」といった楽曲は、どれほど引用を繰り返しても、その「新鮮さ」が損なわれることがない。それは何故なのか。

一つにはサティの楽曲が、ある種の匿名性をたたえており、きわめてロー・コンテクストであるためだろう。松本太郎の引用によれば、ヴァージル・トムソンは次のように述べたという。「サティーは音楽史の知識を持たないでエンジョーイし、アップレシエートされ得る作品の唯一の作曲家である。それ等の作品は浪漫派の傳統のみならず、近代音楽の傳統の惑はしさえも持って居ない」(松本太郎「エリック・サティー　現代音楽とレコード28」『レコード音楽』一九五〇年八月号)。

そう、サティを聴くとき、私たちはドビュッシーやラヴェルにすら感じてしまう「クラシック!」という構えをやすやすと捨てられる。このコンテクストフリーな感じ、まったくの手ぶらで向き合える感じ、さらに「この曲が好きな自分が好き」になれる感じ、これらの要素はサティ愛の成分として外せない。

松本も書いている。「その作品は『シムプル』である。『シムプル』は必ずしも『單純』だけを意味しない。(中略)その旋律も和聲もシムプルであり、そこには文學的な内容、エモーションや詩の横溢、華麗な色附け、美辞麗句に飾られた音楽的修辞法(レトリック)がない。そしてそれがサティーの目指した所だった」と。彼は反浪漫主義、反印象主義という立場から、新しい音楽を作ろうとしたのである。

裸形のダダイズム

ならばそれは、いかなる「新しさ」であっただろうか。

たとえば粟津則雄は「グノシエンヌ」について次のように書く。「彼の音楽はその簡素さにおいて際立っている。まさしく裸形の音楽と言ってよいが、余計なものを拭い去ろうとする作曲家の我意を感じさせることはない。裸形への意志によって裸形となったのではなく、それはおのずから裸形なのである。彼のなかでは、空疎なもの、あいまいなもの、大げさなもの、もってまわったものは、ごく自然に欠け落ちてしまう」（「裸形と諧謔」『現代詩手帖』一九九〇年二月号）。

そもそもサティは、なかば冗談めかしてのことではあるが、自らを音楽家ではないと断じている。「私はずっと音響計測者（フォノメトログラフィスト）に分類されてきた」として、自分の作品には「いかなる音楽的アイディアも介入していない」と述べる。彼は科学的な思考に基づき、「聴くということよりは、音を測定することのほうに、より大きな悦びを感じる」などという（「私は何者か」『卵のように軽やかに――サティによるサティ』ちくま学芸文庫）。

それではサティはどんな音楽を作ろうというのか。そう、「家具の音楽」だ。

「家具の音楽は根本的に工業的なものです。これまでの習慣では、音楽は音楽とは何の関係もないそのときどきにつくられるものでした。そこで演奏されるのは、オペラの中の〝ワルツ〟とか〝幻想曲〟といった類いのもの、何か別の目的のために書かれたものなのです」（「家具の音楽について」前掲書）。

これが「アンビエント（環境音楽）」の始まりであるとして、それはいわゆる「エレベーター・ミュージック」とはどう違うのか。いずれも「無視されるための音楽」であるという点は共通している。決定的な違いは、前者は無視されるべく無意味を志向し、後者は無視されるために意味にまみれている、という点である。

はっきりしていることは、ダダイズム運動の近傍にいたサティが、音楽においても「無意味」を志向していた点である。

塚原史は、サティとダダの関係性を次のように整理している（「エリック・サティと2つのダダ」『現代詩手帖』一九九〇年二月号）。サティは当初、ツァラ、ピカビアらの「純粋ダダイスト」に近かった。彼らに共通していたのは「意味生成装置」としての「文学＝言語＝芸術」を嘲笑し、意味の外へ出ようとする意志だった。サティは一九二二年に開催された反ブルトン派の集会の招請状の起草者にツァラらとともに名を連ねている。

しかし一九二四年、サティが音楽を、舞台装置をピカソが担当した三幕のバレエ「メルキュール」が上演された際、ブルトン一派が騒ぎを起こし、アラゴンが「くたばれサティ」と叫んで一派が劇場から追い出されるという事件が起きる。この事件の四か月後にブルトンがシュルレアリスム宣言を発表し、サティは翌年の夏に肝硬変で死亡する。塚原はこうしたサティの晩年に、「二十世紀初頭のアヴァンギャルドの最後の姿」を見出す、としている。

してみるとサティは、ダダイズムに接近しつつもシュルレアリスムには乗り遅れたという位置付けになるのだろうか。

モノローグとしての音楽

ここで重要なことは、シュルレアリスム運動においては「音楽」がほぼ無視されている、という事実である。シュルレアリストのほとんどは視覚芸術家であり、次いで詩人や小説家という順番で、音楽家の居場所はほぼ存在しない。ケージがそうではないかという説もあるが、個人的には同意しかねる。ブルトンが音楽を嫌悪していた等の説はあるが、それだけが理由とは思えない。ひょっとすると、シュルレアリスムという形式が、本質的に「音楽」とは相容れないものなのではないか。

知られるとおりシュルレアリスムの技法としては「オートマティズム（自動筆記）」と「デペイズマン（異質な要素の組み合わせ）」がある。精神分析の影響下にあったこの運動において、人間の無意識に接近するための技法としてこの二つが採用されたのは、「自由連想法」や「言い間違い」、あるいは夢の文法などとの関連からもうなずける。

問題は、この主要な技法がいずれも「音楽」には適用できない、ということだ。音楽には「無意識」がない。アドリブやインプロヴィゼーションは自動筆記とは決定的に異なる。これらが表現として成立するためには、明晰な意識と技巧的なコントロールが欠かせないからだ。

絵画や文章にはコラージュやカットアップの技法がそれなりに有効だが、いずれも音楽には通用しない。新聞記事の文章をでたらめにカットアップしてもそれなりに面白い文章が生成されるだろうが、同じ手法で音楽を作ろうとしても、ありきたりのノイズにしかならないだろう。

ここには視覚芸術や文学のように「意味」を直接的に扱いうる表現と、常に意味を間接的にしか扱い得ない「音楽」との決定的な形式的差異がある。もっとも、ウォルター・ペーターが述べたように「すべての芸術は音楽の状態にあこがれる」（『ルネサンス』）のは、音楽が「他のすべての芸術とはちがって、現象の模像ではなく、直接的に意志そのものの模像」であり、「あらゆる現象に対して物自体を提示する」（ショーペンハウアー『意志と表象としての世界』）ためだ。

もっとも無媒介的な表現形式であることが、〈言語として／のように構造化されている〉（ラカン）無意識と音楽との隔たりを決定的なものにする。映画や絵画の精神分析はあり得ても、音楽の――「音楽家の」ではなく！――精神分析がほぼ不可能であるのはこのためだ。

奇矯で偏頗なパーソナリティとして知られるサティ自身の精神分析は、あるいは可能なのかもしれない。しかしそこからサティの音楽の秘密が解き明かされるとは思えない。おそらくサティの音楽は、サティ自身の欲望やトラウマを反映することがないように、匿名性へと向けて慎重に調整されている。分析が届くのは、その調整の身振りまで、である。

しかしその一方で、サティの表現はきわめて視覚的であったとも言われる。たとえばマン・レイはサティを「眼を持っていた唯一の音楽家」と呼んだ。サティ自身も「音楽家たちよりもはるかに画家たちから音楽のことを教わった」「絵画の発展は音楽の発展に比べてずっと先を進んでいた」と述べている（オルネラ・ヴォルタ「イントロダクション：一人の作曲家と彼をめぐる画家たち」

『エリック・サティ展』カタログ、ゆまに書房)。

シンプルに考えるなら、ここにひとつの矛盾がある。もし彼の音楽が視覚的なものであるなら、それは通常の音楽よりも「意味」に親和性が高いはずだ。なぜなら意味とは想像的(≒視覚的)なものなのだから。

この矛盾を解消しうる答えは一つである。サティは音楽を家具のように彫琢したのだ。重要なことは家具といっても「用途のわからない家具」を目指したということだ。もちろんオブジェと言ってもいいのだが、オブジェには「美術品という用途」がある。サティの没後に発見されたメモの中には「演奏不可能な楽器」のアイディアが記されていたという。耳を傾けないための音楽と演奏不可能な楽器との間に、使途不明の家具が置かれてもまったく不自然ではない。

別の言い方を試みよう。ほとんどの音楽は対話的に製作される。楽器との対話、聴衆との対話、演奏家同士の対話、そうした想定抜きには通常の楽曲は成立しない。これはモノローグとしても成立しうる絵画や文学と決定的に異なる点だ。病跡学的にみるとき、統合失調症の作家が画家や小説家に多く、音楽家にはまれであるのはこのためでもあろう。

サティが音楽に比して絵画の先進性を指摘したとき、彼は絵画のモノローグ性に憧れていたとは考えられないだろうか。ダダイズムが意味の引力圏から離脱しようとするとき、彼らは一度は私的言語(フレーブニコフの「ザーウミ」のような)の理想郷を目指すのではないだろうか。そのモノローグ志向からこそ、あの「ヴェクサシオン」の限りない反復(≒自己言及)がもたらされたとは考えられないか。

サティのモノローグ性こそが、逆説的にも音楽に視覚を与えた。それは決して「情景が目に浮かぶ音楽」という意味ではない。それは「視るためのフレーム」を与えたのだ。映画音楽に多用される理由の一つはこのためだろう。その楽曲は風景の意味を宙吊りにし、時間の流れをループ化する（涼宮ハルヒ！）。そのモノローグの最深部において、私たちはかろうじて「音楽の無意識」の可能性を触知できるのだ。

Ⅲ　アートシーン

身体観光冒険課

身体の冒険

僕は子どもの頃は病弱で、いわゆる「ほりゅうの質」だった。今はさしあたり健康なので、ふだん自分の身体のことは忘れている。二四時間のうち、自分の身体を意識するのは、歯痛を感じるとき、排尿排便をこらえるとき、早く目が覚めすぎてふらふらするとき、などとなる。要するに、僕の身体は普段は透明な状態にあって、なにか障害が生ずることで実体化するのだ。

ふだん透明なのは体調が良い証拠なので結構なのだが、あまり透明すぎるのももどかしくなることがある。そんなときはどうするか。とりあえず走る。近所の江戸川沿いを走り、水戸の自宅に帰る週末は千波湖の周囲を走り、旅先にもジョギングシューズを持参する。見知らぬ道をiPhone片手に走るのはかなり楽しい。

今年も最高気温の真夏日、炎天下で何度かジョギングをした。一リットルほど汗をかいて、さすがに眩暈がしたので中断したが、この快楽はちょっと他に例えようがない。

石川直樹の経験とは比べるべくもないが、僕が学生時代に自転車で東北三県を縦断したのも、三陸海岸を野宿しながら放浪(ただし三日で挫折)したりしたのも、ある種の極限状態で自分の身体がどんな反応を示すかという点についての興味によるものだったかもしれない。

こうした身体をいじめる享楽というものについては、おそらくあなたが男性ならば、ある程度共感してもらえるだろう。ところが女性諸氏にはどうも理解できないらしい。家人も、炎天下喜び勇んで出かけようとする僕をみては眉をひそめる。彼女も運動は嫌いではないのだが、汗をかくことの不快感が耐えられないらしい。

これについては僕なりの持論がある。女性は男性よりも、月経や便秘、低血圧に肩こりなど、微妙な体調不良を常に感じ続けている。またそれ以前に、そもそも女性のしつけそのものが、「女性的身体性の獲得」を目指したトレーニングにほかならない。つまり女性は、男性よりもはるかに自分の身体については意識的なのだ。いまさら汗を流してまで自分の身体を再発見する必要などないのである。

話を戻そう。男性が無謀な行動をしたがるのは、外界への冒険心という側面も確かにあろう。しかし僕の考えでは、決してそればかりではない。無視できない一面として確実に存在するのが、「自己身体の確認」である。

そう、僕にとって炎天下でのジョギングとは、自分の存在確認であり、身体の中の冒険なのだ。

同じ意味で、病気に罹ることも冒険だ。かつて結核が、ある種の感覚の先鋭化によって、文学的モチーフの量産に寄与したように。

いきなり卑近な例になるが、先日人間ドックで生まれて初めて大腸ファイバーなる検査を受けた。これは僕にとって、ひさびさの〝冒険〟だった。ファイバーの先端が横行結腸から上行結腸へと進むときのあの感覚。視界をひろげるためにガスを注入するときや、ファイバーを一回転させたときの独特の鈍い痛みなど、苦しいながらも興味津々だった。なにしろ自分の大腸の内壁を大きなディスプレイでじっくり観察する機会などそうはない。まさに身体観光である。

やや冗長な前置きになったが、無駄話をしたかったわけではない。こうした、自分の身体性への関心という視点も、石川直樹の作品理解において、重要な補助線であると僕は考えている。石川の文章を読むときにいつも感じるのは、ザック一つでどこへでもふらりと行ってしまいそうな途方もない自由さの感覚と、極限の環境に身をさらしたとき、身体の内部でなにが起こるのか、それをひたすら見つめようとする内省的な視線である。

気をつけて読んでいると、石川の文章には、訪れた土地の情景や印象ばかりが描かれるわけではない。新しい環境に囲まれたとき、自分の身体がどのような反応を示したかについて、しばしば詳しく記されているのだ。

たとえば南極へ行ったさいの、次のような記述。

「極地では烈風にさらされると手がしびれて感覚がなくなる。痛みはなく、指先を押しても引っ張っても何も感じないのだ。毎朝オートミールを吐きそうになるまで食べ、風呂には入れず、トイレに行くにも苦労を要する。凍傷を受けた皮膚は黒ずみ、下手をすれば切断しなくてはならなくなる」(『世界最悪の旅』『すべての装備を知恵に置きかえること』晶文社)。

あるいは最近のエベレスト登頂の際の記録。

「BCからC1へ、C1からC2へ、C2からC3へ、というように、その日の行動を一言で言い表すのは簡単だ。しかし、その背後には膨大かつ詳細な自らの感情や感覚の機微、予感や予兆に溢れている。/雪崩の音。アイゼンのヒモが緩んできて気になる。ザックの重みが肩に食い込む。がに股で登り続けて足首が痛い。気が遠くなるようなクレバスの深さ。アイスフォールの巨大な氷が今にも落ちてきそうだと考える。ヘッドランプの頼りない明かり。雪面に反射する太陽光のまぶしさ。サングラスを外したときの目を焼くような光。何度呼吸をしても酸素を思うように吸い込めない苦しさ。胃腸の不調。降りかかる氷の破片。歪むハシゴ。抜けそうなアンカー。ねじれて毛羽だったロープ。感覚がなくなった指先を動かす。フィックスにカラビナを掛け替えるときの緊張」(『For Everest　ちょっと世界のてっぺんまで』リトルモア)。

それほど多くの探検記を読んだわけではないが、こうした記述はかなり珍しいのではないか。病気や怪我の辛さについての記録はあっても、これほど詳細な感覚的記述はあまり読んだことがない。外界への関心と内省的観察は、しばしば両立しがたいのだろう。石川自身も、かなり意識的にそうした視点を維持しようと試みているようだ。

「登山のディティールはすぐに忘れてしまう。たとえエベレストでも忘れてしまう。だからぼくは書きとどめておく。温かくて身体の隅々に染み渡るこの記憶のスープが、薄く冷たくならないように」（前掲書）。

身体化された想像力

僕は某新聞の書評委員会で、石川とはたびたび顔を合わせる機会がある。すでに写真集などでその仕事には接していたが、素顔の彼はどちらかと言えば物静かな好青年だ。書評の入札本がかぶっても大体あっさり相手に譲ることが多いあたり、その控えめな人柄が表れている。彼に直接会った者は、この体のどこに、あれだけの意志と行動力が秘められているのか不思議な思いを抱くはずだ。

冒険家、読書家、そして写真家。石川本人が自認する肩書きは写真家ということのようだが、この三つの属性は、彼の中でどのように均衡しているのだろうか。

石川自身がしばしば言うように、もはや世界地図に空白はない。その意味で、彼自身が冒険家として開拓すべきフロンティアはもうどこにもない。石川が赴く先はすべて、先人がすでに到達した場所だ。その意味では石川を、メタ冒険家、あるいはポストモダン冒険家、などと呼んでみることも不可能ではないだろう。

史上最年少（当時）で七大陸の最高峰を制覇し、北極から南極への地球半周の道程を人力踏破し、ミクロネシアではスターナビゲーションの航海術を学び、巨大気球で太平洋横断を試み、エベレストの登頂に二回成功する。陸海空全方位的なその活動領域は、従来の冒険家にはあまり例をみないものではないか。埋めるべき空白が地図上にないのなら、ひとりの人間にどれほど多様な冒険が可能になるのか、石川はそのレンジを限界まで試みるかのようだ。

ほぼ年間を通じて、終日診察室で過ごすことの多い僕からすれば、その行動力は眩しいほどだが、ひとつだけ共感を寄せられる点がある。

石川は高校時代、映画『グラン・ブルー』の影響を受けて素潜りのトレーニングに励んだことがあるという。実は僕にはたったひとつだけ、平均以上の身体能力を発揮できる特技があって、それが素潜りなのだ。

石川自身は水深九メートルが限界ということだったから、僕とほぼ同じだ。ボンベを背負っての潜水体験もあるが、素潜りの自由さにはとうていかなわない。そこに九メートルなら九メートルという身体的な限界があるということ。逆説的なようだが、これがあの「自由さ」をもたらしてくれる。

自らの身体の限界を良く知ることが、「自由」の感覚の根底にある。逆に言えば、人間は自らの身体能力を超えた「自由」を味わうことはできないのではないか。その意味では、潜水艦で一万メートル潜るよりも、身体ひとつで九メートルの限界に挑むほうが、ずっと「自由」であるはずなのだ。

彼の本には、しばしば生死の限界すれすれの体験と、その歓びが記されている。そこだけを読むと、まるで石川は極限の体験を求めてアドレナリン中毒になったエクストリーム・スポーツの愛好家に似て見える。しかし、彼の記述をよく読むならば、それが浅薄な誤解に過ぎないことがわかってくるはずだ。

確かに彼は、エベレストのデスゾーンについて、一種の享楽を込めて語る。

「酸素が薄いので、思考力も運動能力も低下している。前後には誰の姿も見えず、聞こえるのは自分の息遣いと岩を踏む足音だけだ。あの先には何があるのだろう、と考えながら、ふと思う。『今ここで足を踏み外したら、誰にも気づかれずに死んでしまうかもしれない』。そのようなことを考えた瞬間、全身の筋肉がぎゅっと強ばって身体が硬くなる。しかしその反面、精神的にも肉体的にも限界に近い場所、つまり命が危険にさらされるような空間に身を置いているということに、一種の快感ともいうべき電流が身体を駆け抜けるのだ」（「あとがき」前掲書）。

何度も極限を経てきたものは、しばしば「オカルト」を語ろうとする。映画『グラン・ブルー』のモデルであるジャック・マイヨールが、人類は水棲人間に進化すべし、という「思想」に取り憑かれていたように。あるいは神秘主義者アレイスター・クロウリーが実は登山家としての顔も持つように。

しかし石川は、ほとんどオカルトを語らない。極限状態において、おそらく変性意識体験のような経験をしていないはずはないのだが、そこから「神秘」を、「あっち側」を語ろうとはしない。これはなかなか希有なことである。

人は通常、体験の統一性を保つ目的で、なんらかの体系的な知を性急に求めようとする。とりわけ実体験という〝資本〟が豊富な人間ほど、自分のほうが「現実」を知っているという傲慢に陥りやすい。この傲慢が「現実」の観念化（＝オカルト）の端緒となるのは、よくあるアイロニーだ。

石川がオカルトに行くことを抑止している要因は何だろうか。読書？　なるほど、それはそうかもしれない。石川は雑食的な読書家を自認する。冒険に関わりがあろうとなかろうと、ノンフィクションもファンタジーも、何でも読む。こうした〝象徴資本〟の豊かさも、オカルト化を抑止してくれるだろう。

しかし、それ以上に重要なのは、「経験」についての考え方である。

石川自身がしきりに言うのは、経験を深めるためには、必ずしも冒険は必要ではない、ということだ。

「現実に何を体験するか、どこに行くかということはさして重要なことではないのです。心を揺さぶる何かに向かいあっているか、ということがもっとも大切なことだとぼくは思います。だから、人によっては、あえていまここにある現実に踏みとどまりながら大きな旅に出る人もいるでしょうし、ここではない別の場所に身を投げ出すことによってはじめて旅の実感を得る人もいるでしょう」(『いま生きているという冒険』理論社)。

石川の言葉が信頼に値するのは、冒険における身体性を重視しながらも、それをあくまでも個人的経験の領域に留めようとする姿勢があるからだ。身体性のパラドックスは、その特異な経験を普遍化しようとする身振りの中に、すでにオカルト化への契機が生じてしまうことにあるのだから。

石川は必ずしも経験の身体化を急ごうとはしない。彼はただひたすらに味わい、記録する。それはまるで、自分の身体に備わった広大な「経験受容体」のマップを、ひとつひとつ埋めていこうとするかのような身振りにもみえる。

「山や川や海や空や人間のあいだをほっつき歩きながら、自分の内面をフィールドにした精神の冒険や想像力の旅を追求していくのがぼくの生き方です。地球上をくまなく移動しつつ、活字の中に広がる世界へ没頭し、誰も到達したことがない未知の場所に行ってみたいと考えながら、誰もが知っている路上に無限の宇宙を探したいのです」(前掲書)。

だとすれば、石川の目指すものとは、「身体化された想像力」ではないだろうか。

僕たちにとって想像力とは、徹底して視覚の延長線上にある能力である。ラカンの「想像界」が、意味とイメージの領域であることを付記するまでもない。これは視覚が、その本質において仮想的なものであることによる。

しかし、もし五感すべての延長線上に新しい想像力の領域がありうるとしたらどうだろう。それこそが「身体化された想像力」と呼ばれうるのではないか。自らの五感をフル稼働させつつ、別の時空間の〝気配〟を探り当てること。それを再び「意味」に回収すればオカルトになるが、「身体化された想像力」は、その手前で踏みとどまるだろう。不断の懐疑によって鍛えられた自己身体への信頼が、それを可能にするのだ。

ここで連想されるのは、石川が著書のタイトルにも引用したパタゴニアの創業者、イヴォン・シュイナードの言葉、「全ての装備を知恵に置き換えること」だ。彼の言う「知恵」とはおそらく「身体化された知識」のことだ。それはある状況下で、まさに反射的に動員される総合的な知性の働きであり、平凡な日常生活の中にあっても、「いまここ」とは異なる時空の気配を感じ取ることができる特異な能力なのだろう。そのように考えるならば、冒険も読書も、あるいは写真さえも、「身体化された想像力」のフィールドとして等価になるはずだ。

魂の脊髄反射

良く言われるように、石川の写真からは、たとえば彼が尊敬する藤原新也のような「思想」がみえてこない。かといって、まったく無個性かつ客観的な写真というわけでもない。彼自身は単に記録のために撮り続けてきたと謙遜するが、それは明らかに、単なる記録以上の〝表現〟として成立している。

ならば、記録と表現の境界線はどこにあるのか。

石川の写真を眺めるとき、そこにまぎれもない「時間」の手応えを感ずることがある。もちろん石川の文章を読むことで、写真の背景にある文脈をあらかじめ知っているということもあるにせよ。

もっともわかりやすい例で言えば、僕が責任編集を担当した『緊急復刊 imago　東日本大震災と〈こころ〉のゆくえ』(青土社)の表紙写真がある。東日本大震災の写真は嫌と言うほど見てきたが、予備知識があるという点を除いても、石川の写真は通常の報道写真とは一線を画している。構図、空気感、光の加減など、どこがこのように違うとは明言できないのだが、この写真には「いま」に限定されない広がりがあり、「ここ」に限定されない奥行きがある。僕が好きなもう一枚の写真、「墓地／イルリサット」にも共通する、あの手触りが。

彼の写真に対する考え方は、次の言葉に端的に表現されている。

「写真が表現であるとは思っていないんですよ。写真は世界の端的な模写ですし、『表現』から遠く離れて『記録』に徹したときに、写真そのものがもつ力が表出してくるようにも感じています。／人だろうが風景だろうが、自分がいいと思ったものを身体の反応にまかせて撮影して、それを束ねていく。(中略)ぼくは出会いがしらの印象みたいなのを大切にしているんです。出会った瞬間に写真が決まるという感じ。／写真にしろ著作にしろ、自分が驚いたことやいいなと思ったこと、あるいは単なる微細な反応でもいいのですが、自分そのものを伝えられればいいなと思っています。特に強いメッセージというのはありません。主観的なメッセージよりも、客観的な描写のほうが力をもつことも多いんじゃないかと思ったり」（丸善　著者インタビュー　http://www.maruzen.co.jp/Blog/Blog/maruzen05/P/1730.aspx）。

「反応」としての写真。ならば、彼の写真に写り込む時間は、常に「いま／ここ」ということになるのだろうか。

奇妙なことに、そうはならない。彼の写真は常に「徴候的」だ。これからここに到来する何か、その気配、その予兆が画面にうっすらと漂っている。不思議なのは、過去の遺物であるはずのペトログリフを写した写真ですら、やはり徴候的な印象を与える、という点である。

僕の考えでは、写真表現における作家性を特徴づける要素の一つに「時間性」がある。木村敏の分類を援用するなら、それはポスト・フェストゥム、イントラ・フェストゥム、アンテ・フェストゥムの三種類に区分される。

ポスト〜は「祝祭後」、すなわち、過ぎ去ってしまった祭りへの後悔や検証を生きるという意味でメランコリー者の存在構造にあたる。イントラ〜は「いま／ここ」において祝祭を生きるという意味で、たとえばてんかん者の存在構造に近い。そしてアンテ〜は、やがて到来するであろう祭りを不安と戦慄のうちに先取りしようとするという意味で、分裂病者の存在構造にあたるとされる。

この分類は、クレッチマーの気質分類をいまだそれなりに有効と考える僕のような臨床家にとっては、まだ過去の遺物ではない。さらに言えば、単なる気質分類の枠組みを超えた経験のモード分類として、さまざまに応用が可能であると考えている。

例えば篠山紀信や荒木経惟の写真は、多くの場合イントラ・フェストゥム的である。そこに被写体の人物との「いま／ここ」の関係性が写り込んでしまう以上、これは必然のなりゆきでもある。いっぽう、土門拳や杉本博司の写真は、まごうかたなきポスト・フェストゥム写真である。一般に、写真における思想や表現という性質が強まるほど、画面に漂う「祭りの後」感は高まるだろう。

むろんこの区分は、写真の価値判断とは一切関係がない。それぞれの時間性における傑作があり駄作があるという話である。あとは好みの問題だろう。

さて問題は、アンテ・フェストゥム的写真が存在するか否か、ということになる。僕の考えでは、例えばダイアン・アーバスの作品の一部、あるいはデビッド・リンチの写真作品すべて、などがこれに該当する。すなわち、何ものかの予兆としての作品、これから到来するものの先触れとしての写真、という意味において。

以上の分類において、いうまでもなく石川直樹の写真は、アンテ・フェストゥム的にみえる。リンチやアーバスとはまったく作風が異なるにもかかわらず、僕にはそうとしか思われない。石川の写真は、常にフレームの外、フレームのいっそう奥に対する想像力を刺激して止まない〝気配〟に満ちている。

おそらく重要なのは、彼がいうところの「出会いがしら」なのだろう。被写体の意味や状況を十分に理解する暇もなしに、まず〝驚き〟が先行する。石川が捉えようとするのは、目前の被写体のみならず、それに驚き反応している自らの身体なのだ。

だから写真は、必ずしも〝客観〟ではない。それは物理的には正確きわまりない写像ではあるだろう。しかし、まさにそうであるがゆえに、それは究極の〝主観〟映像でもある。その時、その場所で、そのアングルでしかとらえることのできない固有の時間。それはほかならぬ石川個人に属しており、ほかの誰も共有できないのだから。

ここで僕たちは、写真の本質を「実践」に見ようとした精神分析医、セルジュ・ティスロンの写真論を思い出すべきだろう。ファインダーを覗き、シャッターを押し、暗室で現像し、加工されたプリントを見、さらにその中から一枚を選択する、といった一連の「実践」。これがあるがゆえに、写真は世界の痕跡であると同時に、それを撮影した「主体の痕跡」でもあるということ（ティスロン『明るい部屋の謎――写真と無意識』人文書院）。

石川が被写体と出合った瞬間の驚きや、「出会いがしら」性を重視するのは、まさにこのためではないだろうか。それは言ってみれば〝魂の脊髄反射〟としての写真だ。意識や言語の介在を最小限におさえ――なくすことは不可能だ――驚きという反射だけをよすがに、その一瞬をすくいとること。そこには思想や主張が写り込まないぶんだけ、石川の内省的な身体性がかいま見える思いがする。

経験を重ねれば重ねるほど、新鮮な驚きに開かれていくということ。この逆説を可能にするのが、先にも述べた「身体化された想像力」なのだろう。そして、そのような想像力を獲得することがもしも可能であるなら、体験そのものの構造も間違いなく変わっているはずだ。

研ぎ澄まされた「経験」の先端部分で、行為と学習、予期と発見を同時に成立させるような体験システム。それが作動し続けている限り、石川の写真は、徴候と気配に満ちた柔らかい驚きを、僕たちにもたらし続けるだろう。

ジェンダーとアートの新しい回路

女性＝受動性

本論を書くにあたり、幸運にも作家本人に直接取材する機会を得た。さまざまな意味で貴重な体験だったが、とりわけ印象的だったのは、彼女の「犬」に対する理解だった。

松井作品には、しばしば白いボルゾイが登場する（それは彼女自身の自画像でもあるという）。たまたまその理由を尋ねたところ、彼女は「犬は女性的だから」と答えた。犬は男、猫は女というのが一般的イメージだと私は考えていたので、さらにその理由を問うと、彼女はこう答えた。「犬は命令に忠実だから」と。

逆に、なぜ猫が女性的なのかと反問された私は、とっさの回答として「猫は気まぐれで主人を振り回す」「主従関係をつくらない」といった理由をあげた。しかし松井自身は「男を翻弄するファム・ファタール」という存在を、必ずしも女性代表とは考えていないようだった。

このようなジェンダー理解もありうるのだというのは、私にとって一つの〝発見〟だった。例えば欲望のあり方一つ取っても、男性の欲望は単純であり、その点も犬に似ている。しかし女性の欲望は複雑であり、気まぐれな猫に似ている。

私自身のジェンダー論にこと寄せて言えば、男性の欲望は突き詰めれば所有欲でしかない。しかし女性の欲望は関係性に向かうため、男性のように抽象化されにくい。だからこそ気まぐれな猫に似て見える（『関係する女 所有する男』講談社現代新書）。

しかし松井は、そうは考えない。松井の中の「ジェンダーとしての女性」は、つきつめれば「受動性」に極まる。しかしそこには、対になるべき「ジェンダーとしての男性」論はない。あるとすれば「能動性」ということになるだろうか。それゆえ松井がしばしば口にする「男性コンプレックス」にしても、自分には獲得できない能動性の問題として考えられているのかもしれない。

その前提で見るならば、《盲犬図》などは受動の象徴そのものだ。うつろな目と魔術的な封印を意味するかのような首輪をはめられて、「彼女」は身動きもままならない。しかし彼女の攻撃性は、まさにその「受動性」の極みにおいて、呪いのように発動するだろう。精神医学には「受動攻撃性」という言葉もあるが、それとはまた異なった一つの予兆として、彼女の攻撃性は表現されることになる。

ナルシシズムとフェミニズム

松井冬子の博士論文「知覚神経としての視覚によって覚醒される痛覚の不可避」（東京藝術大学博美第一八一号）を読んだ折、その異様な文体にまず驚かされた。少なくとも論文の前半においては、極めて主語が乏しいのだ。論文といえども「筆者は」「われわれは」といった主語は必要なはずだが、それすらも使用されない。本人に直接尋ねたところ、まさにそれを狙ったのだということだった。自身の体験に密着しすぎているため、あえて主語を使わない文体を心掛けたのだと。

ところで、実際に感じた違和感はそれだけではない。言葉の運びや論理の組み立てが、いわゆる「論文」のそれとはどこか異質なのだ。その異質さは、冒頭で述べたような「犬＝女」という連想を自明と見なすような、概念と意味の接続のズレであり、あえて異質な文章を書いているというメタ視点の不在に起因しているように思われる。

松井はこの論文において、自らの制作動機としての暴力やトラウマの経験について述べている。「暴力、喪失体験、抑圧、ストレス、トラウマは私の暴力的な美術作品への関心の所在となったことを否定しない。そしてそれが視覚言語で表現することへの動機と可能性につながっている。私は極めて個人的な動機から制作しているが、自我の判断、他者の判断、実際に制作された物との間は必ずしも一致しない」。

ここで注目されるのは、彼女自身の特異な「ナルシシズム」理解だ。精神分析的に視覚芸術は、端的にナルシシズムの産物であるとされる。しかし彼女の「ナルシシズム」はこれとは異なった意味で使用されている。だからこそ「私は肯定的に強力なナルシシストでありたいと思っている」という決意表明が可能になる。松井自身によるナルシシズムの解釈を見てみよう。

「解離性のため複数の自我を持つなかで、最も自覚的である私のナルシシズムは、長い間、確信的に他者から埋没し内面化してきた。その病的で重度のナルシシズムは、暴力と過ごしたのち、被害者意識を強めた。この被害者意識を強める大きな原因、防衛機構は、虐待やトラウマから発生する。拒絶され、繰り返し傷つくことを恐れて他者に触れる事を避け、内面に引きこもり、絶対に信頼できる自我、あるいは自己の属性や幻想に愛を求めて満足を得ようとするものである。何かに向けられるはずの愛を撤退して、その結果として、止むなく自己の幻想や、属性などに喜びを見いだす。私は自己の幻想や属性に異常なまでに愛を向けている」(博士論文)。

解離とナルシシズム。その表象はしばしば「幽霊」として描かれる。《夜盲症》《くちなわ》《咳》といった作品に描かれるそれらは、交代人格としての彼女自身にほかならない。

このナルシシズムの構造は、いわば「自我理想」としての他者への愛を断念せざるを得なかった結果として「理想自我」すなわち「この自分」に執着し続けるような状態であり、それが「病的」であるという判断はおそらく正しい。ナルキッソスの神話が示すとおり、自分自身と一致しすぎるような対象への愛は、しばしば破壊的な帰結を招くからだ。

先に指摘したような「主語」の乏しさや概念的なずれなどもまた、こうした他者性を排除したナルシシズムの産物であろう。

ところで、彼女のナルシシズムには重要な「支柱」がある。「フェミニズム」だ。

松井のフェミニズムの原点には男尊女卑への怒りと男性コンプレックスがある。とりわけ男尊女卑社会への怒りは、どうやら母親由来のものらしく、彼女は小学生の頃から母親に「男に頼るような生き方はするな。結婚はするな。自活して生きていけ」と言われて育ったという（上野千鶴子との対談「オトコ社会の壁をペンと絵筆で突き破る」『婦人公論』二〇〇八年一二月七日号）。

彼女のフェミニズム・ヒーローである上野千鶴子は、最初の作品集にも解説を寄せているが、ここでもフェミニズム的解釈が前面に出ている。こうした姿勢は松井自身の作品解釈にも影響を及ぼしている。

例えば《完全な幸福をもたらす普遍的万能薬》に関する彼女自身による解説は「ウエディングドレスを薄気味悪いと思ったことがあり、これを着せるのにぴったりの女性を描きました。人が相互性を持たずに恋愛をも自己完結していると、ハッピーの象徴も逆転する」（辻惟雄との対談「奇想の対談」『美術手帖』二〇〇八年一月号）。

あるいは「かわいい」という感覚への嫌悪。「かわいいものには興味を持てません。かわいいは他者の支配欲の上に立脚しますから、仮想的有能感を併発させるので居心地が悪いです」（前掲対談）。

こうした松井の発言には、一見したところ、この優れた作家にはあまり似つかわしくない硬直性が見てとれる。多分に八〇年代的な〝平等強迫〟ともとられかねない危うさを感じるのだ。

しかしそれは皮相的な見解に過ぎない。そもそも彼女のフェミニズムは「思想」ではない。それはナルシシズムを守るための鎧であり装なのだ。いささかごつくて繊細さに欠けるように見えるのも当然である。完璧な「女装」と鉄壁のフェミニズムによって、そのナルシシズムは保護される。「エヴァンゲリオン」ファンの松井に敬意を表して言えば、それが松井の「ATフィールド」なのだ。

技法とコンベンションという他者

見てきたように、「個人的な動機」に依拠しているにもかかわらず、松井の作品に私が見て取るのは、意外なほどの自己投影の希薄さである。サバイバー・アートといった補助線抜きで、それらは文句なしに圧倒的な美しさを維持している。彼女自身が、いたるところでスキルの重要性を強調しているように、その作品には「アール・ブリュット」的な意味での素朴な自己投影がみじんもない。例えば《世界中の子と友達になれる》《桜下狂女図》などのように、狂気がモチーフとなった作品すらも、「症状」ならぬ「表現」として成立している。

松井自身が認めているように、作品制作のモチベーションには「怒り」を中心とした感情がある。「自分の中に殺しても殺しきれない感情があるので、日本画によって押さえられているから、ちょうどよい出力加減になっているのかなというふうに思います。私が描きたいのはやはり、ものではなくて感情なのです」（松井みどりによるインタビュー「恐怖や痛覚を糧とする芸術のかたち」『美術手帖』二〇〇八年一月号）。

そう、彼女の創作動機の根底には「感情」がある。しかし激発する感情をそのまま画面にたたきつけても、それこそステレオタイプにしかならない。むしろ絶頂の手前の寸止め的な黙説法によってこそ、恐怖や痛みの伝達は可能になるだろう。そのためにも日本画の様式性は重要なのだ。重要なのは様式性ばかりではない。考慮しておくべきは、日本画の工程である。知られるとおり日本画は、モチーフを本画にするまでの段階に複数の工程がある。松井は佐々木豊との対談で、その過程を詳しく語っている（「免許皆伝 美術家業の奥義 第四回〝怨念〟は創造の起爆力たりうるか」『アート・トップ』二〇〇六年二・三月号）。

まずアイディアが浮かんだら、構想図を描く。構想図を具現化するためにモチーフを写生する。写生と習作を組み合わせて下図を描く。本画のために下図を練り直しつつ大下図を描く。大下図が完成したら反転させて、木枠に貼った絹の表側にそれを付け、絹の裏側から骨書きを始め、次に表側から透けて見える線の上に気持ちを入れた線を引く。

つまり「写生→下図→大下図→裏骨書→骨書」と、最低でも同じ輪郭が五回描かれることになる。複数の工程を経ることで、自己投影の痕跡は次第に間接化・希薄化していくだろう。

これは言ってみれば、モチーフの中核を多層レイヤーの中で展開可能なレベルにまで洗練することだ。単層的なドローイングの直接性はそこにはない。この工程を通じて、複数のメディアにおいて妥当性が検証された描線のみが生き残る。そう、ここでは技法とコンベンションそのものが「他者」なのだ。この他者とナルシシズムとのせめぎ合いが、美の普遍をもたらす。

丹念にこの工程をなぞるとき、主観的な弱い狂気の痕跡(ときに誤って「個性」と呼ばれてしまうような)は綺麗にぬぐい去られるだろう。これはゲーム内世界や自動車の運転席といったような、バーチャリティーが高い空間内では狂気が発動しにくくなる現象とよく似ている。

フロイトの言う「昇華」とは通常、欲望や葛藤のベクトルを、より無害で価値のある活動に振り向けることを意味する。だとすれば、松井が試みていることは「昇華」ではない。それは自らの葛藤に方向転換を迫るのではなく、いくつものグリッドをくぐらせることで洗練し、研ぎ澄ますことを意味するからだ。

治療的契機

同時にここには「治療」の契機すらも存在する。

トラウマ治療の一つに、曝露療法というものがある。手法としては複数あるが、原理は比較的単純だ。それはトラウマ的な体験を繰り返し想起させ——これが「曝露」である——何度も詳細に語らせ、さらにその語りを録音して持ち帰らせ、自宅でもそれを繰り返し聞かせる。表象不可能なほど侵襲的な体験に繰り返し自らを晒し続けることで、その体験は次第に「縮減」されて表象可能なものとなる。体験が物語化されるとともに、体験に対する感情も調整される。すなわち加害者への正当な怒りが、ここにいたってようやく喚起されるのだ。

毀損（きそん）された身体の輪郭を繰り返しなぞる作業から、この種の曝露と同質のものを連想したとしても、まったくの的外れではないだろう。ただし松井による「曝露」は、通常の治療とはかなりベクトルが異なっている。

そこではトラウマ的なイメージの圧縮が目指されるわけではない。体験は線として抽象され、そこに豊かな細部が付加されることで、新たな表象不可能性をはらむことになる。ひとたび圧縮され抽象化された体験が、創造的に解凍されるというわけだ。

もう一点、スキルの獲得そのものがはらむ治療効果というものがある。私自身の音楽療法の経験や「認知運動療法」理論などから言えることは、技能の訓練と向上そのものが持つ治療的効果である。「認知運動療法」について簡単に説明しよう。名称の類似した「認知行動療法」とは発想からして異なる。そもそもこの手法はリハビリテーションのための手法なのだ（宮本省三『リハビリテーション身体論』青土社）。

イタリアの神経内科医カルロ・ペルフェッティは、運動の麻痺に苦しむ患者のために、まったく新しい治療法を開発した。運動機能の回復のために、それまで主流だった運動療法ではなく、触覚と認知過程を重視した訓練を行った。簡単に言えば、感覚を鍛えることで、運動機能が改善したのである。なぜこのようなことが起こりうるのか。現在の説明では以下のようになる。「目に見える身体」に直接働きかける運動療法とは異なり、この治療が働きかけるのは「脳のなかの身体」である。感覚神経を刺激することで、神経ネットワークの再生を促し、新たな身体図式を学習させること。それによって患者は、運動のための新たな神経回路を獲得する、というものである。

日本画の技法習得は、まさに新たな身体性の獲得に通ずるものがある。彼女自身がしきりに嘆いているように、現代社会においては、この種の身体性はしばしば軽視されがちだ。しかし集中的な鍛錬によって「受傷する身体」を「描く身体」へと変容させることは、確実に広義の「治癒」に通ずる過程でもあるだろう。

「まなざし」への同一化

「同一化」もまた、松井作品を読み解く上での重要なキーワードである。ほぼ同じ意味で彼女は、これもエヴァ用語である「シンクロ率」をしばしば用いる。

同一化の視点に関して重要な作品としては、やはり《浄相の持続》をおいてほかにない。再び作家自身による解説を見てみよう。

この女は男に対するコンプレックスあるいは憎悪によって、自ら腹を切り裂き、赤児のいる子宮を見せびらかす。／「私はこんなに立派な子宮をもっている」という攻撃的な態度は、自傷行動の原因となる防衛目的から発現した破壊的衝動である。私はこの女に対して自己投影し同一視している。また彼女の周りに咲く花々も、彼女に同調するように切断し、雌しべをみせびらかしている。私はこの作品に共感し、同調しうるであろう女性達に向けて作品を制作した。同調に関しての優れた能力は、卵をつくる、分身をつくる、という子宮を持つ者の強い特権であるからだ。(『松井冬子画集一増補改訂版』河出書房新社)

彼女は、この絵の女性がしばしば屍体と見られがちだが実はそうではなく、「死んでいるのではなく、生きているのでもありません」と述べている(「松井冬子インタビュー」『美術の窓』二〇〇五年七月号)。

おそらくこの作品は、見る側のジェンダーいかんでまったく印象が異なってくるはずだ。彼女自身は本作を「最もシンクロしてくれるだろう女性達に向けて制作した」(博士論文)と言う。確かに男性にはこの作品を正確に理解することが難しい。なぜか。男性はどうしても、横たわって内臓をさらけ出している女性の姿を「屍体」と見てしまうからだ。

フェティッシュとしての屍体。例えば私はこの作品から、ジョルジュ・バタイユが『エロスの涙』で紹介した「凌遅刑（りょうちけい）」の組写真を連想した。凌遅刑は、清代まで中国で行われていたもっとも重い処刑法で、生身の人間の肉を少しずつ切り落とし、長時間苦痛を与えたうえで死に至らしめるというものだ。バタイユはその写真における罪人の表情にエクスタシーを見て取っているが、そうであるならこの写真はまさに「享楽」の表象ということにもなろう。

毀損される身体と対照的な穏やかな表情、という意味では、この写真は後述する《陰刻された四肢の祭壇》にも通ずるところがある。しかしながら、図像から受ける印象は、ほとんど対照的なまでに異なっている。「凌遅刑」の写真は、処刑されるものの酸鼻なまでの苦痛をほとんど直接に伝えるが、松井の作品にはそうした直接性は乏しい。ここにも単なる「表出」と「表現」との違いが見て取れる。

女性は比較的容易にこの身体にシンクロ、すなわち同一化することができる。しかし男性にはそれが難しい。さらけ出された子宮と胎児が、男性による同一化を徹底して阻害するからだ。その意味で彼女の「見せびらかす」行為もまたATフィールドとして機能する。

しかし本作は、女性の受動性やヴァルネラビリティー（脆弱性）を理解するうえで極めて重要な作品である。男性がそれを追体験するための回路はないものだろうか。

実はある。ヒントは「まなざし」だ。

画面に横たわる女性の視線は透明な静けさをたたえてはいるが、決して死者のそれではない。

例えばラカンは絵画とまなざしの関係について、次のように述べている。

絵においてはつねに眼差しという何かが確実に現れる、というテーゼです。画家はそのことをよく知っています。画家の道、画家の探求、追及、そして実践は、それに固執するにせよしないせよ、まさに眼差しのある様式を選択することにあります。一般に眼差しと呼ばれるもの、つまりは一対の目が構成するもの、そういうものをもっとも欠いている絵、オランダ絵画やフランドル派の描く風景画のように人間の姿を表すものがまったくない絵、そういう絵を見る場合でも、みなさんはまるで透かし模様のように画家それぞれに特徴的ななにものかをそこに見、結局は眼差しがそこにあるかのように感じることになるのです。(ジャック・ラカン『精神分析の四基本概念』岩波書店)

《浄相の持続》におけるまなざしは、実はわれわれを見てはいない。そのまなざしこそが、この作品における同一化のポイントなのだ。われわれはまず何よりも、単に「絵を見る」ことをやめなければならない。次いで彼女のまなざしを媒介として、「見られる」ポジションへと移動＝同一化しなければならない。それは「われわれを見る視線をまなざす」というポジションでもある。

この移動によって、女性ほどではないにせよ、男性にとっても「シンクロ」が可能になるだろう。何よりもまず彼女の「痛み」が共有される。次いで打ち捨てられ、内臓をさらけ出される受動性が、そのまま「みせびらかす」という能動性へと反転していく感覚も、理解しやすくなるはずだ。

まなざしを媒体とする移動=同一化によって、まったく印象の変わる作品はいくつもある。まず《陰刻された四肢の祭壇》がそうだ。彼女の身体はまさに寸断され、ばらばらになっている。これは鏡像段階（ラカン）以前の身体であり、松井自身が言うように統合失調症のイメージにも重ねられ得るだろう。彼女自身は次のように解説する。

女は理性をばらばらにした自己をもぎ取り、幸福である。誇大な空想と自己価値を失う不安から距離をとるが、自己の肉体と外部環境の境界が不明瞭になり、自己の姿を外界に投影する。自尊心と服従の鏡映機能が無意識に現れる。（『松井冬子画集二』）

身体を寸断されながらも、「女」はダ・ヴィンチの聖母を思わせる笑みを浮かべている。そのような笑みの主体に同一化することで、「受苦の極み」における「他者の享楽」の痕跡が、かすかに触知されるだろう。

あるいは大作《世界中の子と友達になれる》はどうか。

すでにまなざしによる同一化のレッスンを経てきた者は、この背中を丸めた少女にも容易に同一化できるだろう。彼女はさしあたり、暴力の被害者ではない。しかし空間のいたるところに、奇形化した藤、スズメバチ、中絶を暗示する空の揺り篭など、禍々(まがまが)しい予兆が満ちている。徴候的な空間で予期される暴力から身を守るべく、少女は背中を丸くする。防御のためではなく、先取りされた暴力の効果として。

「世界中の子と友達になれる」とは、松井自身の子ども時代の強迫観念だ。それは希望に満ちた言葉であるかに見えて、受動態にするだけで呪いの言葉に反転される恐ろしい言葉だ。もしこれが「世界中の子と友達にさせられる」だったとしたら。無数の「友達」によって、「私」が侵襲され、ついばまれ、むさぼられるような経験だったとしたら。能動と受動が反転するだけで、世界は希望に満ちた場所から恐怖に満ちた場所へと一気に変貌する。

松井作品に「シンクロ」することは、まさにそうした意味で、ジェンダーのトポロジカルな反転を認識する／させられる経験にほかならない。それを可能にしたのはトラウマではなくナルシシズムであり、技法的洗練だったということ。そう、松井冬子がわれわれに教えるのは、「病理」を「表現」へと研ぎ澄ます、まったく新しい自己愛の回路にほかならないのだ。

キャラと鎮魂

無力な芸術など存在しない

「五百羅漢図展」をじっくり見るのは、今回が二回目だ。一回目は二〇一二年五月のゴールデンウィーク、カタールのドーハで開催中の大規模展覧会「Murakami-Ego」だった。観客がほぼいない貸し切り状態の贅沢な空間で、たっぷり三時間、私はこの巨大な壁画の前を何度も往復したものだ。

画面には大小無数の羅漢群像が胡座し、佇み、あるいは跳躍する。複雑きわまりない構図に緻密に描き込まれた細部が呼応しつつ、見るものの視線はめまぐるしい運動へと導かれ、それがそのまま作品の躍動感につながっている。

日本画や仏画、屏風絵、水墨画、あるいはマンガなど、多様な技法を統合しつつ、画面そのものはＣＧやシルクスクリーンを重層的に駆使した高度にテクニカルなものになっている。それでいて全体の印象は軽快でポップだ。日本画の技法を学び、オタクカルチャーをテーマにし続けてきた村上隆の、文字通り集大成と言うべき傑作である。

3・11という圧倒的な悲惨に対峙し、作品の力で押し返そうとするかのような作家の気迫。帰国した直後に私はこう書いた。「無力な芸術など存在しない。無力な作家がいるだけだ」と。

「五百羅漢」というモチーフは、多くの日本人にとってはなじみ深いものだろう。「羅漢」（正しくは「阿羅漢」）とは釈迦の弟子であり、「尊敬されるべき修行者」を指す。梅原猛『羅漢——仏と人のあいだ』（講談社現代新書）によれば、「五百羅漢像」は日本独自に生み出され発展したとされている。その特徴は、仏像本来に備わっている「緊張」から解放された、くつろいだ民衆の姿の反映にあるという。

たしかに日本全国に五百羅漢は点在している。複数ある五百羅漢寺をはじめ、石見銀山のものなどが有名だ。絵画作品としては、二〇一一年江戸東京博物館で公開された狩野一信の《五百羅漢図》が知られている。個人的には、岩手県盛岡市にある報恩寺の五百羅漢や、遠野市の五百羅漢が懐かしく思い出される。

ちなみに遠野市の五百羅漢は、天明の大飢饉による餓死者を供養するために、大慈寺の義山が山中の自然石に五〇〇体の羅漢像を刻んだものと伝えられている。そして村上隆に《五百羅漢図》を描かしめた契機のひとつが、二〇一一年三月一一日の東日本大震災の衝撃だった。

ひとたびそのことを念頭に置くならば、この大作の趣もいっそう深まる。一人として同じ顔のない羅漢たちは、みな歪み、老いさらばえ、一様に斜視の相貌を持つ。巨大な波を、紅蓮の炎を、あるいは大宇宙を背にして佇む彼らの姿は、いまだ被災の傷を抱える私たち自身の姿と重なる。

キャラと変形

この五百羅漢図は村上が提唱し続けてきた「スーパーフラット」の完成形ではないだろうか。単に村上作品の集大成という意味に留まらない。以下、このことについて少しばかり説明を試みたい。

村上は自ら提唱した「スーパーフラット」の概念に、近年では単に海外進出のために設定した戦略的コンセプトとして、一種の方便といった位置づけを与えようとしているかに見える。しかしこの概念の価値は、到底それに留まるものではない。以下は私自身の解釈になるが、この概念の画期性をひとことで言えば、それは「キャラクター」をアートの中心に据えた、ということに尽きる。

むろん、村上とほぼ同時期の中原浩大の《ナディア》やイ・ドンギの《アトマウス》などの試みは承知しているが、作品中にキャラクターの存在を全面的に導入し、むしろそこを起点としてアートへと昇華発展させたのは、村上の功績と見るべきではないだろうか。

いまや美術館のホワイトキューブにキャラクターが配置される風景はありふれたものとなった

が、これはあきらかに「スーパーフラット」以降に生まれたコンテクストである。その画期性を精神科医が解説するのも奇妙な話だが、ほかにやってくれる人がいないのでしかたがない。

繰り返そう。アートの中心にキャラを据えること。それがなぜ画期的であったか。ここには「コンテクスト」(E・T・ホール『文化を越えて』)の問題がある。

一般にアートはロー・コンテクストだ。アートのコンベンションは学習しなければ体得できない。アートのコンテクストが読める人、さまざまなコードが解読できる人は批評家やアーティストなど、ごく限られている。またその場合でも、アートの「意味」は一義的に決定づけられない。むしろ表現の多様性こそが尊重される。これがロー・コンテクストである。

一方、キャラクターはサブカルチャーの領域に属する。こちらはきわめてハイ・コンテクストだ。大衆はマンガやアニメで使用される多種多様なコードを、誰にも教わることなく自然に理解している。このように多くの人がコンテクストを共有している状況をハイ・コンテクストと呼ぶ(村上も時にこの用法を混同していることがあるので注意が必要である)。

ハイ・コンテクストな表現では、あるコードの意味がほぼ瞬時に、しかも一義的に決まる。早い話が、マンガのキャラクターの表情が「多義的」であることはめったにない。この点もアート表現とは対照的だ。

つまり村上隆は、アートというロー・コンテクスト空間に、キャラクターというハイ・コンテクストな存在を、「スーパーフラット」という概念を媒介として移植・融合することに初めて成功した作家なのである。

むろんリキテンシュタインやウォーホルにおけるアートとポップの融合の試みを無視するわけではない。ポップ・アートとスーパーフラットの最大の分岐点こそがキャラクターなのだが、その詳細については拙著『キャラクター精神分析』（ちくま文庫）を参照されたい。

なぜ村上だけが「アート空間へのキャラの移植」に成功し得たのか。もちろん要因はひとつではない。私の見るところでは、主としてデザイン的な洗練と、キャラの可塑性を極限まで試すという実験性によるところが大きい。ただし後者については説明が必要だろう。

例えば村上は、自らが生み出した代表的なキャラ「DOB君」を、繰り返し変形し続けてきた。DOB君は立体化され日本画化され、増殖させられ融合させられ、実に過酷な試練に晒されながらも、けっしてその同一性を手放さなかった。こうした変形の試みから、例えば《Tan Tan Bo Puking – a.k.a. Gero Tan》（二〇〇二）のような傑作が生まれたのである。

そもそもキャラクターとは、私の定義では「時空を超えて同一性を伝達する機能を持つ〈存在〉」である。その意味でDOB君変形の試みは、「キャラクターの同一性がどこで壊れるか」を知るための破壊試験のようにすら見える。

五百羅漢の召喚

話を五百羅漢に戻す。この作品は村上と美術史家の辻惟雄が『芸術新潮』誌上で連載した企画「ニッポン絵合わせ」の中から生まれたものである。村上自身の言葉を引こう。

五百羅漢をテーマに、辻先生が繰り返し繰り返し、文章を書かれているのを見て、私も啓発され、宗派を超えた祈りを一〇〇m絵画にぶつけてみようと思ったのです。(中略)今は宗教発生の現場を、自分の身体の中に取り込んでみようと考えています。西洋型のコンテクスト重視の作品から、もっと民衆の心に近い祈りの芸術へ。(辻惟雄、村上隆『熱闘！日本美術史』新潮社)

辻惟雄は早くから日本のマンガ表現を高く評価していたが、これはそもそも辻の言う「奇想の系譜」そのものが、限りなくサブカルチャー的な表現に寄り添っていることと無関係ではないだろう。現代における伊藤若冲や曾我蕭白の高い人気も、手ぶらで鑑賞できるようなサブカル的親しみやすさ抜きには語れない。

ことに曾我蕭白などは、まさに徹底した変形歪曲を通じて「キャラの臨界」に挑んだ画家だった。彼のモチーフの多くは仙人や唐獅子、寒山拾得や竹林七賢、雲龍図など、伝統的な画題すなわち「キャラ」であり、それらに対していかに独自の変形を加えるか、この一点に注力していたようにも見えるのだ。彼がしたことは、いわば二次創作的な身振りにおいて、キャラを自らの絵画世界に移植しようとする試みである。

『熱闘！日本美術史』の絵合わせ十九番以降は、五百羅漢の話が続く。辻はまず狩野一信の《五百羅漢図》に強い関心を示し、「江戸時代絵画史の掉尾を飾る怪物、スケールの点では北斎をもしのぐ大物」と述べている。「二十番 禅月様羅漢図」では、禅月大師貫休の筆とされる《十六羅漢図》を取り上げている。「模写につきものの写し崩れ」がありながら、どの人物の顔にも異様な迫力がある。「杖をつき胡坐をかいた、だらしない恰好」で、「皺の中に顔がある」ような皺だらけの相貌、「仮借ない老人の顔のカリカチュア」とも述べている。

私見では村上隆の《五百羅漢図》は、その〈モツの煮込み〉的な構成を狩野一信に、デフォルメされた相貌のありようは禅月大師貫休を参照しているように思われる。いみじくも「写し崩れ」という言葉があるように、コピーされ変形されても同一性を保持するものが「キャラクター」なのである。

そう考えるなら、《五百羅漢図》の意味も〝表現という苦行を通じてなされる鎮魂〟以上の意味を帯びてくるだろう。村上は「日本人の死生観のギリギリのところが問われるような状況」（前掲書）下で、〝キャラとしての五百羅漢〟を召喚したのだ。既に述べてきたように、キャラの造形とはすなわち、時空を超越した同一性が成立するような〈存在〉をつくることにほかならない。

さらにキャラは「生まれた途端に自分の命を主張しはじめ」るだろう。

《五百羅漢図》にこめられたのは、神仏ならぬ、〈私たち〉自身へ向けた祈りではないか。〈私たち〉とはほかでもない、亡き人々、遺された人々、これから来る人々すべてを意味している。村上隆の「ゲルニカ」は、震災後を生きる〈私たち〉にキャラとしての鏡像をもたらした。〈私たち〉はキャラ化されることで永遠の生命を獲得する。あの世での、来世での「同一性」を祈る鎮魂の身振りとは、もともとそういうものなのである。

技法は「少女身体」に奉仕する

「アナログ」の必然

高松和樹との最初の出会いは、二〇〇九年の「アートフェア東京」だった。いわゆる団体展系の作品にはまったく食指を動かしたことがない私が、一目で高松作品に魅了されてしまったのである。

どこまでも漆黒の空間を背景に、半透明の少女たちが思い思いのポーズで佇んでいる。時にはあどけない仕草をみせ、あるいは無防備なエロスを身にまとい、銃やガスマスクで武装するものもいる。その、見たこともない不思議な質感から、私は隠花植物のギンリョウソウを連想した。そういえば彼女たちが棲む空間は、洞窟の中のようでもあり、深海のようにも見える。その空間では、きっと時間の流れも通常とは異なっているはずだ。

ともあれ私は、高松作品に惚れ込むあまり、著書『ひきこもりから見た未来』（毎日新聞社）の表紙にも彼の作品を使用させていただいた。その後、いくつかの書籍の装幀で高松作品が使用されているところを見ると、いまやその作品の魅力は、静かに浸透しつつあるのだろう。まことに喜ばしいことである。

高松の作品は、CGのように完璧な滑らかさを持ちつつも、CGにはありえないような「物質性」をはらんでいる。しばしばモチーフとなる少女群像は、時に銃を抱えガスマスクを被るなど、サブカル的な「戦闘美少女」でありながら、漫画やアニメのような「キャラ」性を帯びていない。私は現代アートがサブカルの引用まみれになることを厭うものでは決してないが、サブカル的な表現にはある種の騒々しさが必然的に伴う。漫画やアニメ表現は、擬音語や擬態語を駆使してひたすら「感情」のダイナミズムを描くために洗練されてきた表現だが、それゆえに断片的な引用にすら感情の欠片がまといつく。そのことが独特の賑やかさ、騒々しさにつながっていると私は考えているが、高松作品はどこまでも静謐である。たとえ少女が叫ぶように口を開いても、彼女の声の周波数はモスキート音のように私の耳を通り抜けていく。

いったいどのような技法が、こうした表現を可能にしたのだろう。高松は自らの技法について も率直に語っているので、簡単にまとめておこう。

まず3DCGソフトによって立体を〝彫刻〟し、これで等高線を作り、この線を使ってグラデーションを作る。この画像をターポリンというテントなどに用いられる防水布に野外用顔料をジグレー版画で出力、更にその上からアクリル絵具で手彩色を施す。高松は学生時代に、金井訓志氏によるCGを画材とした特別講義を聴いて衝撃を受け、以来デジタルとアナログを併用したハイブリッドな手法を一貫して用いているという。

本来、人間の知覚は、デジタルな刺激を直接には受け取れない（知覚のメカニズムがデジタルであるかどうかは別の問題である）。それゆえデジタル信号は、いったんアナログに変換される必要がある。画像でも音声でも、さまざまなインターフェイスを介して、こうした変換がなされている。高松の表現から私が連想したのは、アニメ制作の現場である。現代のアニメの多くは、３ＤＣＧソフトで制作されているが、３Ｄポリゴンのままではアニメファンが受け入れてくれない。よって、セルシェーディングというソフトを用いて、旧来のセル画を用いた絵柄に落とし込むのである。デジタル作画から立体感をはじめとする情報量を意図的に削ぎ落とし、アナログ的なセル画の質感に変換すること。これはアニメが、そこに本来備わっているはずのフェティッシュを回復するために必要な手続きなのである。

もちろん高松作品の質感が、デジタルのみで再現可能なものかどうかは門外漢の私にはわからない。一つ言えることは、デジタル→アナログへの変換作業は、高松の創造性を刺激し、強い動機づけを与えてくれるプロセスにほかならないのではないか、ということだ。つるつるした３ＤＣＧと等高線で輪切りにして、再度二次元上で立体として再構成する。このアナログ変換作業にある種の歓びが伴わなければ、高松はオールＣＧのもっと効率的な手法開発にも力を入れていたはずだ。

ならば、高松は手法優位、技巧主義的な作家なのか。決してそうではない。彼は意外なほど率直に、自身の抱えているテーマについて、繰り返し語っている。

「現代っ子」の主体

高松はネット掲示板やSNSのやりとりなどにヒントを得て、たとえばネット上の匿名性や『現代っ子』をテーマとしたいと語っている。『現代っ子』には匿名性のほかに、次のような特徴があるという。たとえばうちに攻撃性を秘めながらもそれを表に出さず、行動にも移さない。とにかく平和主義であって、自分のことより他人のことを意外と考えている。そのぶん、びっくりするぐらい素直で純粋で、打たれ弱い印象もある。作品に白と黒のグラデーションを用いるのは、数字を具現化するためであると同時に、善と悪のような二元論におさまりきらないあいまいさという意味合いも込められていると。

しかし、そういう言葉だけをみていくと、仲間に承認されることを求めるあまり同調圧力に弱く、主体性が弱く主張もしない少女たちのイメージを思い浮かべてしまう。ところが高松の作品にはむしろ、世界と対峙しながら自我を貫こうという決意を感じさせる作品も少なくないのだ。

たとえば「私が自由ニ生キル為ニ」「私達ガ自由ニ生キル為ニ」「私ハ何事ニモ縛ラレル事無ク、自由ニ生キル」「私ハ誰カラモ毒サレル事無ク生キテ行ク」「前ニ進ム為ニ」などのタイトル。少女の決然たる意志と主体性を感じさせるこうした作品群もまた、『現代っ子』の隠喩なのだろうか。

抽象される少女

私はむしろ、高松の最大の功績は、女性表象にまったく新しい「形式」をもたらしたことではないか、と考えている。絵画にとって「女性」は最大のモチーフの一つである。絵画史的にも女性身体の美は、男性身体のそれよりも、はるかに多くの視線を魅了してきた。私はかつて、ピカソの画業の変遷を辿った際に、艶福家だった彼がもっとも若い愛人である一七歳のマリー゠テレーズ・ワルテルと性愛関係を結んで以降、画風が一気に変化を遂げ、新古典主義から人体を歪めるシュルレアリスムの時代へと移行したのではないかと考えた(「ピカソは『ポニョ』の夢を見るか?」『ユリイカ』二〇〇八年一一月号)。そして、この事例から「少女」の表象は、身体変形の欲望を喚起する「ペドフィリック・エレメント」として作用するという仮説を立てた。

その傍証としては、ルイス・キャロルにはじまるロリコン志向を持つ作家たちが、しばしば少女身体の変形という欲望を表現してきたという事実がある。たとえばルイス・キャロル、吾妻ひでお、Mr.(ミスター)の三人に「ロリコン」以外で共通することとして、「少女身体の変形」を描こうとした点が挙げられる。巨大化したり首が伸びたりする「アリス」の変形ぶりは、テニエルの挿絵を通じて良く知られているし、吾妻ひでおは異形のものに変形する少女身体を繰り返し描いてきた。Ｍｒ．はアニメ絵からはじまって、内部に部屋のある巨大な少女の頭部、といった作品を制作している。

ちなみにＭｒ．が所属し村上隆が代表取締役を務める有限会社「カイカイキキ」には、タカノ綾や青島千穂といった、少女身体の変形に独自の形式をもたらした作家が数多く所属している。中でも私のお気に入りは、少女身体をロボットや機械とスタイリッシュに融合させる作家、JNTHEDである。

ともあれ「ペドフィリック・エレメント」は、男女を問わず多くのアーティストを魅了し、少女の身体を素材にこれを変形したり装飾したりすることで、無数の作品をもたらしてきた。いや、そもそも私が命名し分析を試みた「戦闘美少女」に至っては、「少女身体の変形」をもっとも洗練された形でとりこみ発展してきた日本独自の大衆文化ではなかったか。その現象が政治的に正しいかどうかはともかくとして、「少女身体の変形と装飾」が、サブカルチャーから現代アートに至る広範な領域において最重要のモチーフであり、多くの作家を魅了し励起してきたという事実は、深く認識されるべきである。この視点に立つなら、高松の作品群がいかに特異なものであるか、容易に理解されうるだろう。繰り返すが、彼は少女身体の表象に、全く新しい、唯一無二の「形式」をもたらしたのである。このことの画期性と重要性は、いくら強調してもしたりない。

逆に問うてみよう。なぜ高松は、少女の身体にあれほど執着するのか。彼の作品のほぼ全てに少女が描かれるのはなぜなのか。私の仮の答えはこうだ。高松の技法は、少女を描くために特化した技法であるからだ。

想像してみよう。あの手法で描かれた「静物画」や「風景画」を。いや、少女以外のあらゆるモチーフが、あの手法で描かれたとしてみよう。果たしてそれは面白いだろうか。あなたを魅了するだろうか。それは二〇〇九年の最初の出会いの瞬間のように、私の視線を鷲掴みにしてくれただろうか。そんなはずはない。とてもそうは思われない。それともこんな評価を、高松は不満に思うだろうか。しかし私は、高松自身が誰よりも、自身の技法が「少女」に奉仕するために特化したものであることを熟知していると確信する。

高松はおのれの技巧のありったけを、少女身体の「抽象」のために用いている。そう、変形ではなく抽象。ならば「抽象」とはどういうことか。彼は少女から色彩を、声を、そして（先述のように）キャラを抜き取った。従来、少女身体を構成する上では不可欠と考えられていた諸要素をきれいに拭い去った。「抽象」とはそういう意味である。その「引き算」の果てに何が残ったか。

驚くべきことに、抽象されればされるほど、少女の身体は異次元のリアリティを獲得していったのである。私達が高松の創り出した少女に魅了されているとすれば、それは私達が、いままで使用したことのない欲望の回路を賦活させられていることを意味する。数値化された距離感のグラデーションだけで構成された少女身体は、虚構と現実の境界線上で、そのハイブリッドな出自を誇示し続けるだろう。それというのも「少女」とは、男にとってばかりか、当の少女自身にとっても謎の存在であり、高松の作品は、ただひたすら、その「謎」に輪郭を与えることに奉仕しているからである。

ネオプラトニズムの小さな神々

スタンド造形の画期性

荒木飛呂彦については、何を書いても「断章」になってしまう。彼が体現しようとしている思想があまりにも壮大であるために、どのような解釈をもってしても〝語り尽くした〟という実感にまでたどり着けないのだ。

私と同世代の荒木はすでに五二歳、これまでの業績を考えるなら、同じ世代の多くのマンガ家がそうしているように、際限ない自己模倣と過去の作品の版権管理だけでも十分に「やっていける」はずだ。しかし、JOJOサーガの新章『ジョジョリオン』において、荒木は絵柄も語り口も更新しつつ（なんと「3・11」まで取り込みながら）新境地に挑みつつある。これほど成長し変容し続ける作家を〝語り尽くす〟ことなど到底できない。われわれにできることは、この途方もない創造性の塊から学び続けること、ただそれだけなのだ。

マンガ家としての荒木飛呂彦には特異な点が無数にある。例えば『ジョジョの奇妙な冒険』(以下『ジョジョ』)は、「反復」や「ループ」、「過程の微分的増殖(ひとつの試合に何か月もかけるような)」や「トーナメント＝敵のインフレ」といった〝無時間性〟に陥ることなく、二五年間にわたってひとつの〝血脈〟を描き続けた作品であり、この点だけでもほかに類例を思いつくことができない。成熟と死、対立と継承、そして「人間讃歌」と「男の世界」。その風変わりな擬音から引用され続ける奇妙な名セリフ、「ジョジョ立ち」として知られるキャラクターの異様なポージング、アクロバティックなパースや複雑な構図など、基本的な世界観のレベルで異色すぎるため、模倣はおろか追随者すら存在しないのが現状である。

一方、荒木作品のアート性については、二〇〇九年のルーヴル美術館での展示や、二〇一二年一〇月現在開催中の「ジョジョ展」などによって国際的にも知られるようになった。しかし、造形作家としての荒木作品の価値については、まだ作家自身によってすら十分に語られていないように思われる。本論ではとくにこの点を掘り下げてみたい。

さしあたり荒木の資質を〝定量的〟にもっともわかりやすく評価できるのは、何よりもまず「スタンド(＝モンスター)」の造形能力である。この領域における荒木のアイディアの無尽蔵ぶりは、あまりに圧倒的すぎてライバルすら存在しないレベルにあると言ってよい。マンガ史はおろか、美術史全体を振り返ってみても、これほど多様な「異形のもの」の形態を描き得た作家を思いつくことができない。何しろボッシュやダリ、クビーンやギーガーですら軽く凌駕することは間違いないのだから。これを過大評価と思われる向きは、ぜひ実例をもって反証されたい。

ただし、荒木のスタンド造形は、彼の描くキャラクターのファッションデザインと共通するところが大きいように思われる。その意味で荒木の真の〝ライバル〟は、ファッション業界において探すべきなのかも知れない。

凡庸な作家はしばしば「奇形化」によってモンスターをつくろうとする。拡大、欠損、歪曲、増殖、キメラなどの手法が典型だ。荒木にはそうした〝不健全さ〟が微塵もない。スタンドは必ず、自律的に調和した生命体としてリアルにデザインされる。かくして『ジョジョ』にあっては、見事に健康かつ不気味なモンスターたちが、生き生きと跳梁跋扈(ちょうりょうばっこ)するのだ。

ウルトラマンを造形した成田亨や、同じくウルトラ怪獣(ゼットン、ペギラなど)を創造した高山良策らの「作品」たちが、いまや自立したアートとして処遇されうるならば、この一点をもってしても荒木作品が第一級のアートたり得ていることは論を俟たない。

ルネサンス、マニエリスム、バロック

荒木飛呂彦は複数のインタビューで繰り返し、自らの技法がミケランジェロをはじめとするイタリア美術の影響下にあると述べている。この点について十分に深く掘り下げた考察を寡聞にして知らないが、せっかく作家自身が創造性の秘密を自己開示してくれているのだから、まずはこ

の点から検討を進めてみよう。

荒木自身が初期から述べているように、「人間讃歌」というテーマは、ルネサンスに通ずる。ただし、荒木自身が影響を受けたと公言しているミケランジェロは、単にルネサンス期を代表する作家であるのみならず、マニエリスムやバロックとも関連づけられている。

このうちマニエリスムに関しては、加藤幹郎による検討がある。


荒木飛呂彦の代表作『ジョジョの奇妙な冒険』シリーズは、さながら人間身体の可能性のかぎりをつくした解剖学的習作集のようである。そこにはかつて手塚治虫や石森章太郎やさいとうたかをが完成させた古典的、正統的な人間身体の表象は完全に姿を消している。それを劇画と呼ぼうが漫画と呼ぼうが、とにかく荒木飛呂彦以降、登場人物の安定した立像や座像は描かれなくなり、日本漫画は古典期を終焉し、マニエリスム期をむかえたことになる。(「法外なもの、不均衡なもの、否定的なもの」『ユリイカ』二〇〇七年一一月臨時増刊号)

加藤はこのエッセイで、身体表現のほかに独特のコマ割りや錯綜した画面構成、「不安定な構図、無償の構図、動機づけをほとんど欠いた構図」「孤島の主題」に代表される奇想、善悪二元論に回収されず善と同様に成長し続ける悪、などの点において、『ジョジョ』にはマニエリスム的な特徴が顕著であると述べている。そして、ここで引用される、若桑みどりのマニエリスム絵画に関する指摘「かれらは、明白な一点から空間を見ることを放棄して、グロテスク文様の線か、さもなければ音楽のように、画面の中のある部分から他の部分へと、かくされた網目を張りめぐらせる。（中略）このような世界は、絵を客観的な世界の『再現』と考えている目によってはとうていつかむことができない。（中略）『絵を読む』という行為はまさしくマニエリスムの作品のためのものである」（『マニエリスム芸術論』ちくま学芸文庫）。これは、確かに荒木作品における特徴をうまく言い当てている。

一方「バロック」についてはどうだろうか。中条省平は、その著書において、荒木作品の〈超越〉性についてふれながら、次のように述べる。

> その荒唐無稽をマンガ的リアリティに高めているのは、荒木飛呂彦のバロック的作画力である。人体表現においては『聖マッスル』『北斗の拳』『ベルセルク』といった「筋肉マンガ」の系譜に連なるともいえるが、日本マンガにおいてほかに比肩するものがないのは、極端に誇張されたバロック的な空間表現である。これは荒木の本質である〈超越性〉が空間表現にも適用された偉大な成果だと思う。（『マンガの教養』幻冬舎新書）

ルネサンス、マニエリスム、バロック。いずれもミケランジェロに関連づけられる言葉ではあるが、その関係性はいささか錯綜している。ここではその「いずれが正解か」に結論を下すことはせずにおこう。とはいえ、これらの関係性をあくまで〝教科書的に〟なぞっておくことは無駄ではあるまい。

美術史の区分としておおざっぱにみるならば、まず一四世紀から一六世紀にかけてルネサンス美術があり、ここから一六世紀に始まったとされるマニエリスム、次いで一六世紀末から一七世紀初頭にかけて広がったバロック、という区分になるだろう。

マニエリスムという言葉の起源はミケランジェロの弟子の一人であるジョルジョ・ヴァザーリによって導入された。画家というよりも最初の美術史家として知られるヴァザーリは、『画家・彫刻家・建築家列伝』で、一四世紀以来、イタリア中の多くの美術家たちによって漸進的に発展させられてきた「マニエラ（maniera）」が、一六世紀になってついに頂点に達したと述べている。そして『列伝』第三部でヴァザーリは、彼にとっての英雄に等しいミケランジェロについて、次のように記している。

あらゆる技を持つ者たちの頂上に立つ存在が、神のごときミケランジェロ・ブオナッローティだ。彼は、あの三つの技（建築、彫刻、絵画）のどれか一つだけではなく、そのすべてにおいて君主となったのだ。彼は、すでに自然をほぼ征服することに成功していた前の時代の技を持つ者たちすべてを超え、自らの足元に退けた。いやそればかりか、彼は、あの輝かしい栄光に満ちた、まちがいなく自然を超えていた、この上なく著名な古代の人々をも超えた。

前の時代の人々、古代人、そして自然にも勝利したのは彼のみである（中略）より全体的に優美に満ちた優美、そして究極の完全性は、ある種の困難を実に容易に解決する彼のやり方（マニエラ）によって実現されたのだ。

ヴァザーリは、古典主義から逸脱したミケランジェロのマニエラ（手法・様式）を、規範にとらわれない自由さとして高く評価し、作家はすべからく独自のマニエラを持ち、それを磨くべきであると考えた。これに続くバロック期については、マニエリスムとの違いは論者によって曖昧な点もあるが、おおよそ次のように考えることができる。

イタリアにおける初期バロック絵画を代表するアンニーバレ・カラッチがそうであるように、反古典主義的なマニエラに対する批判として、再びルネサンス風の明快な構図や写実的な人体描写が再評価され、マニエラと自然との調和が取れた表現へと向かう。つまり、バロックにおいては、ルネサンスとマニエリスムの双方の特徴が共存する、という考え方である。

しかし、マニエリスム論の名著『迷宮としての世界』においてグスタフ・ルネ・ホッケはマニエリスムを「悪魔化されたルネサンス」と述べ、ルネサンス特有の「調和・統一」原理が崩壊した後に出現した「歪み・呪い」を基調とした潮流として、マニエリスム＝バロックをひとつながりの連続的様式として把捉しようとする。すなわちホッケによれば、マニエリスム＝バロックとは、「近現代」芸術の萌芽ということになる。

美術史を巡る検討はここまでにしておこう。荒木作品がマニエリスムかバロックかその両方か、といった議論にもこれ以上の深入りは無用だ。ここから先はむしろ、荒木飛呂彦とミケランジェロの関係性について集中的に検討しておきたい。ただし、絵画としてのマニエラについては十分に述べてきたので、ここから先は、技法ではなく〝魂の双子〟としての荒木とミケランジェロについての議論となるだろう。

ネオプラトニズムとミケランジェロ

よく知られているように、ミケランジェロはマルシリオ・フィチーノやその弟子にあたるピコ・デラ・ミランドラといったイタリア・ルネサンス期の思想家が展開し、当時の芸術家を席巻していたネオプラトニズムの影響を強く受けていた。

彼は芸術について、それが本来、芸術家個人の内的像に宿る「イデア」を表出することだと考え、例えば、彫刻を石の塊という物質の牢獄から彫像を解放することであると考えていた。

ネオプラトニズムは一種の一元論である。世界の究極的な原理は、無限で不可知で完全な「一者(ト・ヘン)」であり、世界の多様性はそこからの「流出」として生じた、とされる。認識能力である知性が流出し、知性から生命力である世界霊魂が流出し、世界霊魂の活動によって生まれるのが人間の魂である。〝下流(人間)〟は〝上流(神)〟のコピーであり、それだけ不完全ではあるが、本質は同じであり、人間の魂も一者と本質を共有している。この考え方は、プラトン哲学本来の「イデア論」の発展形であり、考えようによっては反転形でもある。ネオプラトニズムはキリスト教思想の中にギリシャ神話的表象を導入する上で大きな影響があったとされる。

この思想のもとでは〝下流〟である肉体は魂の牢獄とされる。それゆえミケランジェロは、身体を魂の反映ととらえる。例えば、《ダビデ》の高い精神性は、強靭で美しいその身体に反映される。あるいは縛られた奴隷は激しく体をよじらせ、魂の自由を希求するかのようである。ミケランジェロの表現に特徴的な、傾き（コントラポスト）、あるいは激しくねじ曲げられた身体（フィグラ・セルペンティナ）のリアルな動きは、そこに宿る魂や内面性を描き出すために要請された表現だったのである。

ネオプラトニズムから「人間讃歌」へ

ここに至って、ようやく荒木飛呂彦とネオプラトニズムの関連性を論ずるための準備ができた。

鍵はまたしても「ジョジョ立ち」にある。これは言うまでもなく、『ジョジョ』の作中、キャラクターが見せる独特な腰のひねりや手足の動きなどによる奇妙なポージングのことだ。『ジョジョ』ファンであるカジポン、鬼教官氏らによって命名され、「ジョジョ立ちオフ」などの企画が話題となって、『現代用語の基礎知識』にも掲載される言葉となった。

ミケランジェロで言えば《ダビデ》のポージングでは控えめすぎるだろう。むしろ《勝利》や《夜》、あるいは《瀕死の奴隷》などのポージングのほうに「ジョジョ立ち」フレーバーを濃厚に感ずることができる。

それはともかく、この「ジョジョ立ち」にこそ、荒木作品のネオプラトニズムがもっとも濃厚に顕れている。なぜなら、それはキャラクターの「魂」の反映そのものであるからだ。

『ジョジョ』の読者なら誰もが知るように、本作では「勇気」「敬意」「誇り」「覚悟」「黄金の精神」といったキーワードがきわめて重要な意味を持つ。「ジョジョ立ち」に反映されているのは、そのような魂の状態そのものだ。そう、例えば第五部でジョルノが「ギャング・スターにあこがれるようになったのだ！」あるいは「このジョルノ・ジョバァーナには夢がある！」といった名セリフとともにポージングをキメてみせるように。さらに重要なことは、ディオや吉良吉影、プッチ神父やヴァレンタイン大統領といった「悪」にすら、彼らなりの「思想」や「理想」があるということだ。荒木による「人間讃歌」は、「悪」すらも肯定的に描くという点に極まっている。

ならばネオプラトニズムが「人間讃歌」の根底にあるのだろうか。必ずしもそうとは言えないだろう。先にも述べたとおり、この思想は「一者」すなわち「神」を最上位に置き、人間の魂や身体は、そこから流出したもの、より下位にあるものとみなされるからだ。

それゆえ最大の価値を持つのは言うまでもなく「神」だ。しかし、ここに逆説が生じる。「神」も「世界霊魂」も、つまり上位にあるものほど表象不可能であるということ。つまり〝上位〟のものの価値は〝下位〟に流出することで可能になった形態からしか評価できない、という逆説である。

それゆえミケランジェロは、偉大な神と矮小な人間、という対比的なイメージを採用しない。むしろ神の偉大さを表現するためには、偉大な人間を描かなければならない。ミケランジェロによる《ダビデ》や《モーゼ》、システィーナ礼拝堂天井画などは、こうした〝神を媒介する身体〟の典型である。そこでは身体の美はすなわち神の美を体現するものと見なされる。「人間讃歌」は「神への讃歌」に一致するのだ。

ただし、ネオプラトニズムには〝危険〟な側面もある。オカルティズムや神秘主義にきわめて親和性が高いのだ。それは感覚的世界に属する身体を軽蔑的に扱い、一者＝神との合一を目指すという思想ゆえに当然のことでもある。

ここに大きな疑問がある。「スタンド」はおろか、「幽霊」や「宇宙人」まで登場する『ジョジョ』が、何ゆえにオカルティズムに傾斜していかないのか。あれほど荒唐無稽とも言える設定を採用しながら、あくまでも「人間讃歌」としての倫理性を維持し得ているのはなぜか。この謎と向き合うことなく、手放しに『ジョジョ』礼賛に終始するわけにはいかない。

これは『ジョジョ』という作品の本質にかかわる問題であり、もはや本論においては詳細に検討する余裕がないため、あくまで現時点での暫定的な仮説を記すに留めよう。

『ジョジョ』における最大の〝発明〟は「スタンド」である。これは『ポケモン』や『遊戯王』

などによく見られるような分身的パートナーとは本質的に異なったアイディアだ。ジョセフ・ジョースターの説明を引用しよう。

承太郎！　悪霊と思っていたのは、おまえの生命エネルギーが作り出すパワーある像なのじゃ！　そばに立つというところから、その像を名づけて「幽波紋」！（『ジョジョの奇妙な冒険』一三巻）

ならば「スタンド」は、ネオプラトニズムにおいていかなる位置づけを得るのだろうか。それは素質を持った個人の「生命エネルギー」から「流出」した映像である。それは身体と同等か、時にはそれ以上のパワーを持っている。ということは、人間の「魂」に対する位置づけとしては「身体」と並列的な位置におかれることになる。しかしその能力は、ディオのスタンド、ザ・ワールドのように時を止め、あるいはプッチ神父のメイド・イン・ヘブンのように時間を無限に加速するなど、神に等しい領域に至ってしまう場合もしばしばだ。

結論を言おう。この「スタンド」こそは、荒木流ネオプラトニズムにおける「小さな神々」である。個人の「魂」に二つ以上の可算的な形象、すなわち「身体」と「スタンド」があり、両者の階層が等しいとすれば、もはや遡行して到達すべき「一者」は存在しないことになる。個人はおのれの覚悟、勇気、倫理観に従って成長し、スタンドもまた成長する。このきわめて特異なイデアと形相の循環システムを「発明」したことで、『ジョジョ』は、どこまでも「個」に立脚した「人間讃歌」たりえたのではなかったか。

「神の身体」としての少女

「描くこと」と「祈り」

ピカソに、神など信じていないくせになぜキリストや聖人の絵を描くのだとからかわれて、マティスはこう答えたという。「人が絵を見るということは、人が神さまを信じているときとちょうど同じようなものなんだ」と（岡崎乾二郎『ルネサンス 経験の条件』文春学藝ライブラリー）。岡崎乾二郎はこの回答に、「絵を見る」ことが「わたしが絵を見ていることをわたしは信じている」ことで成立する、というヴィトゲンシュタイン的なテーゼを読み取ろうとする。

無神論者でありながら、十二指腸ガンの術後手厚く看護してくれた看護士のモニク（後の修道女）から依頼され、ヴァンスのロザリオ礼拝堂のデザインに尽力したマティスは、制作中だけは神を信じると述べたという。

いっぽう敬虔なカトリック信徒であったバルテュスは、あたかも祈るように描いた。彼の絵画に漂っている一種の完結性、そう言ってよければ完璧性とでも言うべき静謐さは、その多くを彼の信仰に負っているように思われる。
晩年、どんな批評家よりも自身の作品について能弁に語ったバルテュス自身の言葉に耳を傾けてみよう。

絵を描くことは神の神秘にたどりつく一つの方法です。神の国の輝かしさをいくらかでも引き出すことです。(中略)一枚の絵か、それとも祈りか、いや、二つは同じです。ついにつかんだ無垢なもの、非情に過ぎゆく時間から奪いとった一瞬の時間。とらえたのは永遠なるものなのです。(『バルテュス、自身を語る』河出書房新社)

絵画に触れるには、言わせてもらうと、儀式のように畏怖の念をもってのぞまなければなりません。(中略)この世にある聖なるものに自分をゆだね、謙虚に、控え目に、しかし供物のように自分を捧げることによって、はじめて本質に行きつくことができるのです。(前掲書)

絵画を信仰のための手段と考えるバルテュスは、芸術家と呼ばれることを嫌い、自身を職人と呼んでいた。それゆえ絵画においては、個性よりも無名性を尊んだ。

近代性というものが絵画芸術に悲劇をもたらした。個人としての芸術家が出現し、昔ながらの絵画術が消滅したのである。（中略）だからこそわたしは絵画にあの失われた普遍性と無名性を取りもどしてやりたいのだ。無名性をおびればおびるほど、絵画は本物になるのだから。（『芸術新潮』二〇〇一年六月号）

なぜ少女なのか

ここに、誰もがいきあたる謎がある。なぜ、バルテュスは少女を描いたのか。彼自身、いわば「炎上案件」狙いだったと告白する《ギターのレッスン》はもとより、少女のエロス表現にかけては、同世代で彼に匹敵する描き手を知らない。

オタク文化が「ロリコン」を発見して以降の作家（会田誠など）を除けば、思春期の少女のエロスを描いた作家自体が——ムンクの《思春期》があるにせよ——美術史においては例外的だ。例外と言えば、私がバルテュスの少女から連想するのはドイツ・ルネサンス期のルーカス・クラナッハ（父）が描く一連の裸婦像だ。クラナッハがどの程度意図していたかはわからないが、彼が好んで描いた、小ぶりの乳房とぽっこり突き出したお腹を持つヴィーナス像などは、そのポージングも含めてバルテュスときわめてよく似ている。

マルティン・ルターと親しかったクラナッハと同じように、プロテスタントの両親のもとで育ちながらカトリック信徒だったバルテュスの信仰は、その意味ではともに境界線上のものであった可能性はある。ともあれ彼は描いた。文字通り祈るように。「天使」のような少女たちを。

彼女たちはどこから来たのか。誰もが予測するように、ルイス・キャロルの『不思議の国のアリス』あるいは『鏡の国のアリス』からだろうか。しかし、そう問われたバルテュスは即座に否定する。

幼女や少女に対する愛はルイス・キャロルに由来するのではありません。あれは幼年時代と思春期の思い出、あのころ、わたしが知っていたたくさんの少女たちです。わたしは自分の幼年時代、思春期をひとつの宝物とし、そこから多くの主題を汲み取りました。（コンスタンツォ・コンスタンティーニ『バルテュスとの対話』白水社）

実際バルテュスは、この種の問いにいささか食傷気味だ。彼はエロスが描きたかったわけではない。彼は彼が言う「造形的な要求」に従ったまでなのだ。それでも食い下がろうとする質問者にバルテュスは苛立ちを隠さない。

淫らなのはあなたのほうですよ！　どうして天使が淫らになりえるでしょう？　天使は天使なのですから。わたしについて、そしてわたしのタブローについて、他人が言ったこと、そ

して言っていることにかかわらず、わたしは宗教画家です。（前掲書）

そしてバルテュスの視線は、子ども時代に留まり続ける。彼自身が繰り返し述べるように。彼は大人の裸婦は描けないと言い、少女の美のほうが完璧だと述べる。なぜか。

少女とは生成の受肉化である。これから何かになろうとしているが、まだなりきってはいない。要するに少女はこのうえなく完璧な美の象徴なのだ。成人した女が世界のなかにすでに座を占めた存在であるのに対して、思春期の少女は、まだ自分の居場所を見つけていない。（中略）わたしとあの哀れなナボコフに共通点があるとしたら、それはユーモアのセンスだけだ。
（傍点原著者、『芸術新潮』二〇〇一年六月号）

しかし、まだわからない。なぜ少女の身体は未成熟でありながら完璧なのか。

私の少女たちの身体にある思春期のときめきはこの二面性をあらわしています。暗闇の光と天空の光。（中略）バイロンや『嵐が丘』の猛々しい主人公のように、私は光と陰のなかに純粋な自然の跡を探していたのです。（『バルテュス、自身を語る』）

してみると、こうした少女の「二面性」こそが、彼にとって完璧な享楽、の源泉だったのだろうか。

カトリックの身体性

バルテュス作品を解読する際の最大の謎の一つが「信仰とエロスの両立」に関するものである。あれほど敬虔なカトリック信仰を口にしながら、スキャンダラスな少女のヌードを繰り返し描くことの意味。ルイス・キャロルに親近感を表明しつつも、セクシュアリティの一点では共感を拒絶すること。そこに精神分析的な意味での「否認」を看て取ることはむしろたやすい。カトリック教会における、児童に対する性的虐待スキャンダルが大々的に報じられたのは今世紀に入ってからのことだ。この事実を無視して、バルテュスの少女を無邪気に鑑賞することは難しい。

ここで、ごく簡単に美術史の「常識」をおさらいしておこう。

こと美術史という点に関して言えば、カトリック教会の貢献度は圧倒的だ。そもそもヨーロッパの建築史はプレモダンまでは宗教建築の歴史とほぼイコールだ。カトリックにおける教会の権威の強大さを考えるなら、これは当然である。絵画や彫刻においても、少なくともルネサンス期までは、宗教のモチーフが質量ともに圧倒的である。この点に関してはいわゆるイコン美術をどうとらえるかを巡って八―九世紀に起きた聖像論争（イコノデュエス〈聖像肯定派〉とイコノクラスト〈聖像否定派〉の対立）が知られるが深くは立ち入らない。カトリックと美術との親密な関係は、ひとえにカトリック教会に備わった「身体性」によって支えられてきた。教会は信者の身体に働きかけることで、その信仰を確認し、維持に努めてきたのである。具体的にはまず「洗礼」がある。ミサでは聖餐式でパン（キリストの身体）とブドウ酒（キリストの血）を口にする。ほかにも堅信（油を塗ることで聖餐式に参加する資格を得る）、終油（信者の最期の儀式）などがある。

儀式がほとんどないに等しいプロテスタントと比較するならば、こうした相違はいっそう際立つ。たとえば聖体（パンとぶどう酒）の解釈。カトリックでは聖体は、「キリストの身体そのもの」に変化するとされる。しかし、プロテスタント教会では、聖体を「キリストの象徴」と考える。

私見では、こうした身体性の極みが、カトリックにおける「マリア信仰」になるだろう。「アヴェ・マリア」や「ロザリオの祈り」、あるいは「ルルドの泉」など、マリア信仰はいまなお根強く存在する。イコンのモチーフとしてもマリア人気はキリストすらしのぐ。しかし実際には、聖書に記されたマリアという存在には「キリストの母親」以上の意味はない。つまり「マリア信仰」には根拠がない。

なぜ「マリア信仰」が身体性の証しになるのか。

カトリックに特有の信仰の対象として、聖遺物がある。キリストや聖母マリアの遺品、キリストの受難にかかわるもの、また諸聖人の遺骸や遺品をいう。かの「トリノの聖骸布」もこれにあたる。これらはむろん「偶像」とは見なされていないが、実体化された信仰の対象という意味においては実質的に偶像と同じ機能を果たす。

偶像と異なる点があるとすれば、それは、実体が果たす換喩的機能への信頼、ということになるだろうか。聖体をキリストの象徴、すなわち隠喩として位置づけるプロテスタントに対し、身体そのものとみなすカトリックの信仰は換喩的である。実体を欠いた「象徴としてのキリスト」への信仰がプロテスタントであるとすれば、実体を兼ね備えた「キリストの身体」への志向性がカトリックにははっきり存在する。そうした身体性を担保する〝物証〟のひとつとして、マリアの〝女性身体〟が必要とされたのではなかったか。

この考えを拡張すると、身体性の換喩的連鎖を通じて、この「世界」全体が喜ばしい奇蹟に満たされることになるだろう。そう、バルテュスが自ら言うように。


セザンヌは自然のなかに神的なものがあることを理解していました。自然のなかに見つかるフォルムの木霊、目とフォルムのあいだの律動、これらの対応。(『バルテュスとの対話』)

そしてバルテュスもまた、その木霊を探しているという。自然にひそむ恩寵のしるしに接近するための手法とはなんだろうか。

西欧の偉大な芸術はものごとを表わす芸術ではなく、それと同一化する芸術です。ほんとうを言えば、わたしはこの小説（引用者註：『嵐が丘』）の登場人物すべてと多少とも同一化しました。（『バルテュスとの対話』）

ジョルジュ・バタイユのような破壊と冒涜ではなく、またジャック・ラカンのような分析でもなく（バルテュスはラカンのセミネールに出席したことがある）、同一化であると言うこと。個性を放棄した無名性が活かされるのは、おそらくそうした場所なのだろう。

変形する少女身体

よろしい、バルテュスが敬虔な宗教画家であることはよくわかった。しかしまだ十分ではない。なぜバルテュスは少女のエロスを描いたのか。なぜあれほどまでに多様な姿態をとらせなければならなかったのか。

例えば《夢見るテレーズ》の、あの片膝を立てたポーズ。自身のエロスに無自覚な〝少女的瞬間〟が見事に補足されている。《部屋》をはじめ、このポーズは幾度も反復される。

あるいは横たわる少女。《犠牲者》の死体と見まがう少女、あるいは《眠る裸婦》、さらに《猫と少女》に至る、三つの様態。第二次世界大戦当時という時代背景を考慮するなら、象徴的な死を描いたとみることもできるだろうが、むしろ類似したポーズでここまで異なった印象を生み出せる画家の技量に驚かされる。

あるいは《客間のための習作》にはじまるシリーズ。主役である二人の少女たち（モデルは一人二役であった由）のポージングが、作品ごとに微妙に変化していく過程がきわめて興味深い。簡単に言えば、ソファで眠る娘の顔は徐々に上向きになっていき、はじめは正面を向いていた顔が、《客間（Ⅱ）》ではついに天上を向いている。一方、床に四つん這いになって読書する娘は、徐々に前方に体重のかかった不自然なポーズになっていく。習作段階のものと比較すればはっきりするが、《客間（Ⅱ）》で二人の少女たちのポーズが生み出すリズム（としか呼びようのないもの）は、われわれの視線をきりもなく誘導し、およそ見飽きるということがない。

バルテュスが少女の身体に完璧な美を見出し、さまざまなポージングを施すことでそこから汲めども尽きない美を引き出そうとするとき、彼は期せずしてオタク的な回路と接続することになるだろう。

現代美術の領域で、もっともバルテュスに近い形で少女を描くのは、タカノ綾だ。意外な選択かもしれないが、フェティッシュとしての少女に執着しないという点では、そのように見做すことが可能だ。彼女の「ブリッジ」シリーズは、少女たちの身体にときに異物を装着し、あるいは自在に変形される。

タカノは少女の「体のラインが面白いから」と言う。しかし少女の身体に特異的なものはなにもない。その身体は過渡的なジェンダーとして、まさに生成の途上にある。しかし、だからこそ、女性作家にすら「変形欲」をそそらずにはいないのだ（拙著『アーティストは境界線上で踊る』みすず書房）。

この点から見れば、日本におけるアニメやゲームといったオタク文化の領域は、変形された少女身体の宝庫とすら言える。少女身体は、およそ表象可能なあらゆる身体の中にあっても、もっとも操作と変形の可能性にひらかれた身体なのだ。具体的にはまず、魔法少女と戦闘美少女がある。魔法によって変身する少女。変身によって戦闘形態になる少女。それればかりではない。ブラウザゲーム「艦隊これくしょん」でピークを迎えつつある「擬人化」ブームにも、あからさまな「少女変形」欲がみて取れる。

「起源」に立ち返るなら、そもそもルイス・キャロルによって描かれた「アリス」の変形ぶりは、ジョン・テニエルの挿絵を通じて良く知られている。マンガ史においては手塚治虫も吾妻ひでおも、そしてもちろん宮崎駿も、異形のものに変形する少女身体を繰り返し描いてきた。現代美術ではほかにＭｒ．がいる。彼の近作は、内部に部屋のある巨大な少女の頭部だ。

バルテュスと同時代人で忘れるべきではないのは、誰あろうパブロ・ピカソだ。彼の多彩な画業についておさらいする紙幅はないので、端的に言おう。注目すべきは「新古典主義の時代」以降における作風の変化である。彼がシュルレアリスム的な人体の変形を描き出すのは一九二五年頃、しかし本当の意味で、人体変形の文法をつかんだのは、一九二七年以降だ。

この時期ピカソは、一七歳の若い愛人、マリー＝テレーズ・ワルテルと出会い、長く激しい性愛関係を結んでいる。小児性愛的な傾向が顕著ではないピカソをして、少女マリーとの出会いは《海辺の人物たち》(一九三三年)、《鏡の前の少女》(一九三二年)、《横たわる女》(一九三二年)といった、過激なまでの身体の解体と再統合をもたらした。この時代のピカソは、少女身体のアナグラム的な変換に余念のなかったハンス・ベルメールに、限りなく接近していく。

「祈り」の唯物論

見てきたように「少女」の魅力は、彼女たちを裸体にするばかりではなく、その身体を変形することによって繰り返し引き出されてきた。その性的嗜好はともかくとして、バルテュスもまた、こうした「変形欲」に取り憑かれていたことだけは疑いようがない。

しかし、異なるのはここから先である。バルテュスの次の言葉をどのように理解しうるか。

《夢見るテレーズ》や《部屋》をエロチックな行動の反映とは見ないようにして欲しいのです、それだと解剖学とリビドーをみだらな方法で結びつけることになる。そうではなくむしろ、見せることで何かをとらえる必要性を見て欲しいのです。言葉ではつかめず、解明できないとしか言いようのない何か。そのくせ振動して響きわたり、カミュが「世界の心臓のときめき」と名づけたものに加わる何か。(『バルテュス、自身を語る』)

おそらく「少女の表象」から無限の神性を引き出しうるとすれば、その唯一の方法は、彼女らの無垢さを際立たせる方向にはない。ただ「変形」することのみが、それを可能にする。少女たちが無造作にポーズを取り、あるいは下着をのぞかせる瞬間に〝永遠〟をかいま見、画家がそれを入念に画布に定着させようと試みるとき、その行為はカトリック的な意味での「受肉」に等しいものとなるのだ。

絵を、出現、神学的な意味での救世主の到来と見なし、解読できないことを認める。聖母マリアが天使の訪問を受けたあと、彼女がどうなるのか決して説明を求めなかったのと同じです。生じたことに対して無垢でいる。(『バルテュス、自身を語る』)

そう、バルテュスにとって絵は「エピファニー(epiphanie)」(キリストの降誕、あるいは神聖なるものの顕現)にほかならない。カトリックの系譜に連なる表現者は、多かれ少なかれ、「神の身体性」を求めるという意味において唯物論、ならぬ唯身体論ともいうべき立場に近づく。そのように考えるとき、バルテュスの描く無垢なる少女の身体は、たとえエロティシズムの回路を迂回しようとも、そのリアルな「祈り」の在処をわれわれに触知させずにはおかないだろう。

パラノイアに憧れる神経症者（ナルシスト）

シュルレアリスムと精神分析

シュルレアリスムはすでに歴史的と呼びうるほど過去の運動となった。しかしサルバドール・ダリは生き残る。彼はシュルレアリスムというよりは、いまやアートのアイコンとなったからだ。私見ではシュルレアリスムとは、絵画がはじめて「意味」と対峙させられた運動だった。ほぼ同時期の美術運動として、キュビスムや抽象絵画が知られるが、シュルレアリスムはその精神分析との親和性からもうかがえるように、意味連関の合理性を攪乱し、図像の象徴的な位置をずらすことを明確に目指していた。表現に思想（言葉）が先行したという意味でも、シュルレアリスムは美術運動としては特異だったと言える。

ダリの伝記的な記述はほかに譲る。シュルレアリスム宣言のブルトンを精神分析の創始者フロイトになぞらえるなら、ダリの位置はフランスの精神分析家、ジャック・ラカンにあたるだろう。知られるとおりラカンはフロイトの正当な後継者を自称しつつ、その理論に対しては徹底した換骨奪胎を試み、少なくともフランスと南米、日本においては精神分析の延命に貢献した。

それでは、ダリは何をしたのか。

シュルレアリスム運動の初期において重視されたのは自動筆記だった。精神分析の基本的技法である自由連想法から着想されたこの手法は、作家を自意識から解放し、無意識の世界（真理）を表現することを目指していた。デペイズマン、コラージュ、フロッタージュなどの技法も、その延長線上にある。

後年指摘されたように、そこには多くの誤解があった。フロイトは芸術活動をリビドーの「昇華」として位置づけたが、シュルレアリストたちは昇華の概念にはほとんど関心を払わなかった。また、自由連想法は確かに無意識に接近するための有効な手段だったが、それはあくまでも患者個人の無意識に接近するためのものである。

しかし自動筆記は、ブルトンが述べるとおり芸術家の「想像力の解放」を目指しており、それがまったく新しいイメージの表現として共有されうるという点で、精神分析の目指す方向とはほぼ「真逆」である。ただし、個人を分析するのと同じ手法で社会分析が可能であることからもわかるように、精神分析は「個人も社会も象徴的構造によって規定されている」ことを前提として、その可能性を拡げてきたのも事実なのだ。

ラカン対ダリ

自由連想法は基本的に、ヒステリーや神経症など、比較的軽い精神疾患の治療に用いられた。しかし、ダリが採用したのは「偏執狂的＝批判的方法」である。そして偏執狂、すなわちパラノイアこそは、ラカンの重要なモチーフでもあった。

ダリは一九三〇年に「腐ったロバ」というエッセイで次のように記している。

> 明らかにパラノイア的な過程によってこそ、二重のイメージを獲得することが可能になった。すなわち、あるオブジェの表現＝表象は、どんな図像的あるいは解剖学的修正もないままに、同時にまったく異なる別なオブジェの表現＝表象でもあり、この再現もまた、何かしらの調整を秘めていそうないかなるタイプの変形も異常さもないのだ。（サルヴァドール・ダリ『ダリはダリだ』未知谷）

ダリが好んで描くだまし絵やダブル・イメージにはこうした理論的背景があった。パラノイアについての理論を構想していたラカンは、パラノイアについて多くを語らないフロイトよりも、むしろダリに接近し、個人的に面会を求めてきた。ダリはラカンを驚かせようと鼻の先に絆創膏を貼ってホテルの部屋に迎え入れたが、ラカンは無表情のままダリの説明を大人しく拝聴して帰って行ったという（エリザベト・ルディネスコ『ジャック・ラカン伝』河出書房新社）。

ともあれラカンのシュルレアリスムへの接近は、一九三二年に発表された学位論文「人格との関係からみたパラノイア性精神病」に結実した。ちなみにラカンは、職業上の配慮からか、ダリ、ブルトンらシュルレアリストからの影響については論文中では一切ふれなかった。いっぽうダリは、シュルレアリスト運動の中核を担った雑誌『ミノトール』の第一号で、ラカンを全面的に賞賛している。彼らはおよそ四〇年後の一九七三年にニューヨークのホテルで再会を祝福しあい、ダリはガラとともに、当時ラカンが熱中していた「ボロメオの輪」について語り合ったという（前掲書）。

偏執狂的＝批判的方法

ダリの「偏執狂的＝批判的方法」（命名者はブルトン）について、もう少し詳しくみてみよう。たとえばダリはこう述べている。「絵画平面に対する私の野心とは、具象的な非合理性の図像を、精密さを激しく求めるもっとも帝国主義的な熱情でもって物質化することにある。想像世界、具象的非合理性の世界が、現象的現実の外的世界と同じ客観的な明証性に、同じ確実さに、同じ持続に、同じ説得力ある、認識的伝達可能な厚さに属すようにと」「（この手法は）主観的で客観的な現象の体系的な連合の無制限で未知の可能性を排他主義的なやり方で組織化し客体化する」（「非合理の征服」『ダリはダリだ』）。さらにダリは同論文で、この手法のもとではダ・ヴィンチの《モナリザ》、ミレーの《晩鐘》、ワトーの《シテール島への旅》といった異なるタブローが同じ主題、同じ意味を持つことになると主張している。

ここでダリが言わんとしていることを簡略化して述べるなら、最高の写実的手段によって、妄想的な非合理性をリアルに表現することこそが絵画の使命である、ということになるだろう。彼は従来のシュルレアリストたちが、自らの無意識的な過程を受け身的に表現する消極姿勢をよしとしなかった。彼はむしろ、妄想的なまでの強度をはらんだ非合理性をあたう限り写実的に表現する試みにおいて、画家の主体性を発揮しようとした。ダリの技巧はそれを可能にしたのである。

そもそもダリにとっては、知覚そのものがパラノイアックなものであり、イメージはその解釈なのである。彼の作品はしばしば夢幻的と評されるが、ダリはかならずしも創作を夢に依存していたわけではない。

たとえば代表作《記憶の固執》の着想は、頭痛がして家で休んでいたダリの眼に、食べかけのカマンベール・チーズが飛び込んできたことがきっかけである。彼はそこから「スーパーソフト」について考え、ついで硬い貝殻で身を守るヤドカリについて考えた。自分が描きかけていたポルト・リガートの風景を見ていたら、突然二つの柔らかい時計が見えたのでそれを描いた、というのだ（メレディス・イスリントン＝スミス『ダリ』文藝春秋）。

おそらくはここで生じた「硬さ」と「柔らかさ」の対比が、双方の性質を併せ持つ「パン」や「肉」への固執につながったのだろう。《茹でた隠元豆のある柔らかい構造（内乱の予感）》や《秋の人肉食い》といった作品にうかがえるカニバリズムのテーマは、そこにダリの口唇期固着（おそらくは自己演出）を読み取るよりは、「柔らかさ」のパラノイア的解釈という意図のほうがより重要と思われる。

ほかにもダリは、自らの強迫観念や恐怖症を象徴的な素材として用いている。作品中で反復されるイナゴや蟻は嫌悪の対象だったし、ウィリアム・テルはダリが恐れた父親の象徴である。なによりも彼の作品全体における通奏低音は、性愛に対する恐怖だ。ダリはパートナーであり母親役でもあったガラの奔放さに比べ、かなり奥手だったことはよく知られている。

反復する物語

つまりダリは、自らの知覚に対してあえて「妄想的解釈」を施すことでイメージを拡張し、自身の恐怖や強迫観念の対象を繰り返し取り込むことで、作家の署名代わりにしたとも考えられるのだ。自らを精神分析する代わりに、精神分析を反転させたとも言える。なぜなら分析とは、言語化されざる欲望や外傷を言語化することに治療の契機を求める技法だ。ダリはおのれの葛藤や恐怖を素材として、いっそう言語化が困難なイメージを作り上げたのである。

それゆえダリが「反復」に着目したのは慧眼だった。ダリの作品歴には、いたるところにモチーフの反復がある。一つの絵の中にさえ、ダブル・イメージやだまし絵といった反復構造がしばしば仕込まれている。

たとえば代表作の一つ《ナルシスの変貌》では、絵の左側には水面に映った自己像に見入るナルシス、右側にはまったく同じ構図で「卵を持った手」が描かれる。ナルシスはこの手の「形態学的なこだま」であり、卵からは花＝新しいナルシス＝ガラが出現している。

「反復」は精神現象の基本形である。われわれは「反復」に接すると、そこに「物語（ナラティブ）」を読み取らずにはいられない。ナルシスがガラを産む卵に変貌することは、ダリの自己愛がガラによる承認なしでは成立しない事実をナラティブとして示唆している。ここにはおそらくラカンの「鏡像段階」理論の残響がある。

ダリはパラノイアを愛しつつ、その表現は徹頭徹尾、神経症圏内に留まっていた。その画面は、写実的技巧で描かれた意味が充満している。同じ「肉」を描いても、スキゾフレニックな懐疑＝確信へと開かれたフランシス・ベーコンの「肉」とは対極的だ。それゆえ、今ダリを評するならこうなる。かれはラカンと同じく、パラノイアの崇高さに憧れ続けた神経症者（ナルシスト）だったのだ、と。

「英雄」と「人間」のあいだ

メーヘレン

贋作と言えば思い出す話がある。青森県のとある精神科病院は、芸術療法の一環として、患者に名画の模写をさせることで知られていた。もちろん出来不出来はあるが、時に驚くほど精密な模写をする患者がいたと聞く。

こういう逸話を聞くたびに、人間には本来的に「贋作への衝動」のような欲望がひそんでいるように思われてならない。絵画とは異なるが、私も時折 Twitter などで文体模写めいたことをして愉しむことがある。もっともこちらはパロディとして笑いを取るという歓びもあるのでまったく同一ではない。絵画の贋作には、もっと特異な欲望が投影されているのかもしれない。

本論では、二人の贋作者に焦点を当ててみたい。

一人は、美術史上最も有名なフェルメールの贋作者、ハン・ファン・メーヘレン。今一人は、数多くの名画の贋作を制作し、全米の美術館に「寄贈」し続けたマーク・ランディス。後述する通り、彼らの存在はきわめて対照的だ。

贋作と言えば、一般にはオリジナルの模倣をイメージするだろうが、メーヘレンの場合はその意味でやや特異である。彼が制作したのは「オリジナルが存在しない贋作」なのである。

彼が贋作者として財をなしえた背景には、かなり複雑な事情があった。時代や状況といった文脈を抜きにして、いきなり彼の代表作とされる《エマウスのキリストと弟子たち》を見ても、なぜこれがフェルメールの贋作たり得たのか、理解に苦しむ人が少なくないだろう。確かに単独の作品として駄作とは言い難い。しかし、なぜ当時の名だたる評論家たちが揃いも揃って騙されたのか、不可解ではないと言えば嘘になる。

メーヘレンの生涯については、フランク・ウイン著『フェルメールになれなかった男――20世紀最大の贋作事件』(ちくま文庫)が詳しい。彼はもともと画才に恵まれた少年で、父親に猛反対されながらも画家になりたいという己の意志を貫き通し、一九一三年に卒業制作として絵画を提出、ロッテルダム賞を受賞してデビューを飾った。しかし、自作の複製画を販売していたことが発覚し、トラブルとなる。この事件にその後の展開の予兆を観るのはうがち過ぎだろうか。

当時の欧米アート界は、表現主義やキュビスム、シュルレアリスムが席巻しつつあり、古典的な写実にこだわるメーヘレンの作風は古臭く、およそ売れ筋ではなかった。彼の中には、自分の作品をまったく評価しないオランダの美術界に対する怒りがわだかまっていた。こうした怒りと経済的な困窮などが契機となって、彼を贋作制作に走らせたとされている。

メーヘレンは、慎重かつ巧妙に贋作を制作した。まずフェルメールの研究書を熟読して、その作風を模写するための研究を重ねた。絵の題材は、フェルメールがほとんど手がけていないとされていた宗教画を選んだ。大胆な選択だが、この決断が後に効いてくる。

メーヘレンは、絵画の修復業に関わった経験があり、真贋判定法にも通じていた。それゆえキャンバスは一七世紀の無名の絵画から絵具を削り落として使用、フェルメールが使用したとされる絵具、絵筆から溶剤に至るまで同じものを使用し、キャンバスを熱して古い絵のような亀裂を入れるなど、その贋作の手法は徹底していた。

彼の目論見は当たった。当時最も権威のあった批評家、アーブラハム・ブレディウスが、《エマウスのキリストと弟子たち》をフェルメールの真作と認めて絶賛したのである。彼は次のように書いた。「私たちの目の前にある作品がデルフトのヨハネス・フェルメールの傑作の一つ――私は大傑作、と言いそうになる――であることを私たちは確信する」。実は当時ですら、本作を贋作と見る声は存在したのだが、大御所の太鼓判の前にかき消されてしまった。ロッテルダムのボイマンス美術館は本作を五二万ギルダーで買い上げた。

メーヘレンはその後贋作づくりで財を成したが、戦後、ナチスにフェルメールの絵画を売った罪で投獄され、弁明のために贋作の事実を明かす。それを立証すべく獄中で贋作を描いて見せたところ、今度は「ナチスを騙した英雄」として祭り上げられる。しかしメーヘレンの健康は、常用していた麻薬と酒のために蝕まれていた。彼は栄光の絶頂で「心臓発作」で死去する。

メーヘレンという人物は、良くも悪くも「俗物」だった。浪費家で酒飲みで女好き、技術はあったが才能はなく、復讐心はあったが創造性には乏しかった。《エマウスのキリストと弟子たち》の価値は、本質的に才能を欠いた画家であっても、努力と時代状況の後押しがあれば、偶然のように「傑作」を完成できる可能性を示した点にあろう。本作はいまなお「最も有名な贋作」という額縁の中で光彩を放っている。

ランディス

メーヘレンとは好対照とも言える人物が、アメリカの贋作家、マーク・ランディスである。彼は三〇年にわたって、一五世紀のイコンから、ピカソ、ローランサン、ディズニーに至るまで、数多くの贋作を作ってきた。メーヘレンとは逆に、彼はオリジナルの忠実なコピーを制作していた。またランディスは、贋作で儲けようとは考えていなかった。彼はただ「寄贈」したのである。

ランディスはイエズス会派の神父などに扮し、亡くなった母親の遺産といったもっともらしい物語を付け加え、アメリカ中の美術館や教会に贋作を寄贈し続けた。全米二〇州、四六館もの美術館が騙された。その「作品」数は一〇〇点以上に及ぶという。その半生はサム・カルマン監督のドキュメンタリー映画『美術館を手玉にとった男』(二〇一四年)として公開された。

映画では、ランディス自身のインタビューはもちろん、作品の制作過程から実際の寄付行為の現場までもが克明に描かれる。実はランディスは精神障害者であり、現在も通院と服薬を続けている。彼は一七歳の時に父を癌で亡くし、そのショックで精神的な失調を来して、精神科病院で入院治療を受けていた。診断は統合失調症。幻聴や幻覚もあったらしいが、詳しいことはわからない。映画の診療場面を見る限り、担当医は彼の病歴もうろ覚えで、慢性患者の一人として対応されている様子がうかがえる。

ランディスの贋作はきわめて精巧であるが、制作過程は驚くほど「ずさん」だ。キャンバスや額縁はウォルマートなどで安く入手し、時にはフォトコピーの上から絵画を上描きしたりもする。材質を古く見せる工夫は、なんとコーヒーをぶちまけるだけ。キャンバスや額縁、絵具、絵筆に至るまで時代考証を徹底したメーヘレンの周到ぶりとは実に対照的だ。

彼は映画公開後にインタビューに答えて、次のように述べている。

「僕が絵画を贈ったら、みんなが普段とは違う態度で、僕を大切に、親身に扱ってくれた。（中略）誰も僕を大切に、敬意を持って扱ってくれなかった。だから僕は（贋作の寄贈に）はまったし、今もそうしている」。

精神科病棟で、外来で、彼がどんな扱いを受けてきたかは想像に難くない。ランディスは贋作を寄付する行為によって、はじめて「人間扱い」されたのだ。そう考えるなら、彼が必要以上に素材や道具にこだわらないのもうなずける。彼の関心は「人を騙す」ことにはないからだ。金儲けや自己表現の野心を持たないがゆえに、彼の贋作がなかなかバレなかったとすれば、なんとも皮肉な話ではある。

メーヘレンとランディスに共通点があるとすれば、二人とも最終的に贋作者として成功をおさめた点にある。メーヘレンは英雄に、ランディスは有名人になった。ならば彼らは例外的な「幸運な贋作者」だったのだろうか。それはわからない。今私に言いうることは、贋作を制作する衝動と、純粋な自己表現との間に、本質的な区別は存在しない、ということである。それは、アウトサイダーとインサイダーとの区別が、便宜上のものでしかないのと同じことだ。

Ⅳ　生活／文化

ポリフォニーを〝聞き流す〟

解離性気分障害？

坂口恭平の最新作『家族の哲学』（毎日新聞出版）は、彼が罹患している双極性障害の苦しさが生々しく克明に記されている。教科書や論文からは決してうかがい知ることのできない苦しさ。その記述を読んでいると、人間の思考などは、感情の荒波に翻弄される木の葉のようなものにすぎないとすら思えてくる。

躁状態の坂口はきわめて生産的だ。アイディアは次々と浮かんでくるし、思いつくまま行動し、語り、唄い、創造する。原稿だって日に一〇枚は軽い。しかし突然、うつ期がやってくる。そうなると彼は別人のようになってしまう。

「元気そうにしているときだって、じつは苦しいんだよ、隠せているだけ」。うつ期に入った坂口はそう考える。家族に対する評価も一八〇度変わる。「本当は内心、両親に対して絶望を感じていて、それによってずっと苦しんでる。だけど、調子がよいときはその苦しみを隠すことができるわけ。(中略) 結局はずっとその問題を抱えてるんだ。じつは終始絶望してる」。

もちろん彼はそうした事態に備えて、壁に自分自身へ宛てたメッセージを貼っている。「調子が悪いときは、ゆっくり寝ること」「かならず、仕事をやめたいと言い出すので、フーはしっかりと私の行動を止めること」うんぬん。彼にはもちろん、それを書いたのが自分だという記憶はある。しかし今となってはその意味を理解することもおぼつかない。

こんなことが本当に起こるのか。不思議に思う人もいることだろう。しかしこうした現象は、われわれ臨床家が双極性障害の治療をする際に、しばしば悩まされる問題でもある。彼らは解離性同一性障害(多重人格)のように、まったくの別人格になるわけではない。記憶の連続性は辛うじて保たれている。ただ、「感情の連続性」だけはきれいに失われる。

とりわけうつ期の絶望感は圧倒的だ。坂口自身が繰り返し記しているように、彼らは「じつは苦しかった」「本当は絶望していた」などと本気で口にしながら、正常な気分の時の発言や記録をすべてひっくり返すのだ。うつ期の絶望感の怖さは、それが常にメタレベルから侵略してきて心の全領域を制圧し、あたかも永遠のように居座ってしまう点にきわまる。すべての双極性障害に該当するわけではないので、私はこの現象を個人的に「解離性気分障害」と呼んでいる。

死なきゃ何でもいい

坂口自身の作品歴を辿ってみると、彼はこうしたうつ期を経験するごとに、着実にその思考を進化／深化させている。しかしうつ期に入った彼は、その事実すらも認めることができない。自分の作品はすべて無価値であり、なにもかもゼロであるという思い込みにとらわれてしまうからだ。その結果、彼は強い希死念慮にさいなまれる。いや、それが結果なのか原因なのかすら、判然としない。実は希死念慮が先行しており、それが全てを無価値化しているのかもしれない。

そんな彼をつなぎ止める言葉が、パートナーである「フー」の名言「死なきゃ何でもいい」だ。

精神科医として坂口の作品を読むとき、最も興味深いのが、彼と「フー」との関係であり会話である。いちおう小説の体裁を取っている以上、フィクションとして読むべきなのかもしれないが、そういう区別がどうでもよくなるほど、二人の対話は示唆に富んでいる。

恭平が愚痴をこぼすと、フーは言う。「そのようなときもある。それは仕方がない。そんな体なんだから仕方がない。しかし、忘れてはいけない。そうじゃないときもある。それを忘れてはいけない」。

そう、彼に必要なのは「フーの視点」だ。その視点から世界を見ること。それは「私が調子が悪いときに感じてしまう、あの絶望以外にも世界があること」を知覚することなのだ。

フーの接し方の一つに「聞き流す」というものがある。坂口によれば「それは無視することではない」「意味ではなく、音楽として受けとるということ」「判断せず、決断せず、ただ受け入れる」ことだ。絶望している人間の前でこれを実践すると、その人間は「名もなき人間」になり、周囲が「未知の風景」となって「体がふっと軽くなる」という。そればかりか坂口によれば、聞き流されることで爽快さや感謝すらも生まれてくるのだという。

「その人々それぞれの中にある、私との親密なものを見つけ出すためだけにある。それはただの触角の動きなのだ（中略）私が見出そうとしているのは、まったく別の空間での会合の瞬間」なのだという。

彼は自分を叱咤する人間と話しながら、その体の動きを観察し、「その人間の中に内在している別の存在に対して対話を試み」る。なぜか。「核家族とはまた別の家族の気配」、坂口が言うところの「嗅家族」が社会にひそんでいるからだ。彼の願いは「人間たちの中に潜む別種の人間たち」と食事をともにすることだ。

別の空間に居るはずの自分を想像することが創造だ。まだ見ぬ家族を他者の中に見つけようとすることこそが幸福でありそれは香を放つ。この記述は難解にも見えるが、その意図についてはまたあとで触れる。

「思考という巣」をつなぐ「創造」

『家族の哲学』の最終章で、恭平はついに長かったうつ期を抜け出す。きっかけはフーの言葉だった。自分のだめな部分を延々と語り続ける恭平に、フーは言う。「よく、そこまでいろんな角度から自分を否定する言葉を見つけ出してくるね。たいしたもんだよ。創造活動にすら見えるもん」。

この言葉の効果なのか、ちょうど変化の機が熟していたのか、それはわからない。しかしともかく、恭平の気持ちは軽くなる。

この小説に限った話ではないが、恭平とフーの対話は、ベタに「治療」という視点から観た場合に、きわめて興味深い要素を秘めている。

ここで彼の別の著作、『現実脱出論』（講談社現代新書）を参照してみよう。タイトルから誤解されそうだが、本書で坂口は現実からの逃避を勧めているわけではまったくない。そうではなくて、この現実もまた一つの幻想空間に過ぎないことを強調するのだ。その証拠に、現実を構成している時間も空間も、状況次第で勝手に伸びたり縮んだりするではないか。たとえば坂口には、好調な時とうつの時とでは空間の見え方、奥行き、色彩までもが変わって見える。「F1車」と「おんぼろトラック」くらい違うのだ、という。もちろんこれは「主観」と「客観」の対立などではない。

本書のキーワードは「思考という巣」だ。坂口によれば、思考とは考える行為ではなく、人間が内側に形成した「巣」であり「現実と対置された空間」なのだ、という。人間の感覚も振る舞いも、この巣を作るための素材なのだ。

このとき創造行為とは、個人が現実から脱出して作り上げた「思考という巣」どうしを、現実という意思疎通のための舞台の上でつなぐことを意味することになる。

坂口が語る「ものがたり」を、フーがどのように聞くのかを見てみよう。彼にとって「ものがたり」とは、感覚器官という扉の向こうにしっかりと存在している空間を、現実のもとにおびよせる行為なのだという。そのような「ものがたり」、精神医学の貧しい言葉に置き換えるなら「妄想様観念」を、彼は台所で家事に勤しむ妻に伝える。妻は彼の荒唐無稽な話を、けっして批判しない。ただし坂口のほうも、話したことを現実の中でけっして実践しないという約束をフーと交わしている。

ここで再び、先ほど述べた「聞き流す」という身振りが出てくる。「町に流れるBGM」のように、妻は意識せずにそれを聞く。「右から左へ聞き流す。頭の中にはできるだけ入れない。一つ一つ吟味しない。それに対して、対応しない。批判しない。同意もしない。かといって無視はしない。必ず一度、耳には入れる」。坂口も妻も、それぞれの要請と関心から、そうした作業を台所で行うようになったという。

妄想も幻覚も、全て事実として受け入れ、しかし現実世界では実践しないこと。なぜか。『現実さん』は他者だからだ。他者の耳元で、僕にとっての事実を一生懸命伝えても、妄想としか言われない。／「現実さん」にも通じる言葉で伝える必要があるのだ」。

『現実さん』を歓待し、落ちついて他者として付き合ってみることで、自らの思考が、独自の知覚・認識によって形成された空間であると理解」できる、と坂口は言う。ならば「現実」とは何か。

それは、「他者と意思疎通するための舞台」である、と坂口は言う。他者の思考は完全には認識できない。意思疎通は現実という場でのみ可能となる。ただし、現実の空間では集団のためのルールや規則が優位になりがちで、個々の思考はすぐ窒息させられてしまう。だからこそ、個人同士の巣を安全に接続するための回路が必要なのだ。この「他者の思考との邂逅、対話を直接的ではないにせよ、可能なかぎり滑らかに実現するための方法」を、坂口は「創造」と呼ぶ。

この「創造」の定義に、私は強い感銘を受けた。ここにはアウトサイダー・アートやエイブル・アート、芸術療法の真の意義、病跡学の向かうべき方向、いやそれだけではない、ありとあらゆる表現行為がなぜこの世界に必要なのかという問いに対する、きわめて説得的な答えがある。

オープンダイアローグ

しかし、それ以上に私が刺激を受けたのは、こうした坂口の「創造」の定義が、ほぼそのまま「治療」に結びつくのではないかと考えたためでもある。

知っている人には食傷気味の話だろうが、私は最近、オープンダイアローグという治療法に入れあげている。すでにあちこちに記事も書いているので、ここでの紹介は最小限に留めよう。詳しく知りたい方は拙著『オープンダイアローグとは何か』（医学書院）を参照されたい。

オープンダイアローグ（開かれた対話、以下ＯＤ）とは、フィンランド・西ラップランド地方にあるケロプダス病院のスタッフたちを中心に、一九八〇年代から開発と実践が続けられてきた精神病に対する治療的介入の技法である。薬物治療や入院治療をほとんど行うことなく、きわめて良好な治療成績を上げており、近年国際的な注目も集めている。

ＯＤでは、患者や家族からの依頼を受けてすぐ「専門家チーム」が結成され、患者の自宅を訪問する。患者や家族、そのほか関係者が車座になって座り、家族療法などの技法を応用した「開かれた対話」を行う。問題はこの対話の持つ治療的意義だ。なぜ対話ごときで精神病が改善するのか。もちろん日常的な対話ではなく、さまざまな思想を背景にして、洗練された技法として確立されている。その詳細については再び拙書を参照されたいが、重要なのは、ここでバフチンのアイディアが活用されている点である。

ＯＤの主要な柱の一つである「対話主義」。これは「言語とコミュニケーションが現実を構成する」という社会構成主義的な考え方に基づいている。言うまでもなく坂口の発想もこれに近い。たとえば、患者が妄想を語り出したとしよう。治療チームは、患者の語りを否定したり批判したりすることはしない。患者の経験したことについて、さらに質問を重ねていくのである。たとえばこんな風に。

「私にはそういう経験はありません。もし良かったら、私にも良くわかるように、あなたの経験についてお話ししてもらえますか？」。

このように問いかけを重ねながら、さらに詳しく妄想を語ってもらうのである。通常の精神療法では「妄想を強化する」という理由でタブーとされるやり方だ。しかし治療チームは逆に考える。妄想はモノローグ、つまり独語の中で強化され、ダイアローグに開くことで解放される。ならば、妄想に対して関心と好奇心をもってダイアローグに開いていけば、妄想が解放されることもありうるのではないか？ この、およそ精神医学内部ではありえなかった発想が実践されて成果をおさめているというのだ。

そのためにはまず「治す」という発想から自由になる必要がある。治す、すなわち「妄想を取り除く」という目標に固執すると、どうしてもやりとりは「議論」や「説得」に傾きがちだ。重要なことは妄想の語りを核として、その周囲に複数の「声」が生成繁茂していくような、ポリフォニックな空間を拓くことなのである。

これをODでは「社交ネットワークのポリフォニー」と呼んでいる。それゆえ、単純な合意や結論に至ることは重要ではない。対話をする目的は、患者の苦しみの意味がよりはっきりするような共有言語を創り出すことであり、安全な空気の中で、参加するメンバーの異なった視点が接続されることだ。合意や結論は、いわばその過程の〝副産物〟として派生することになる。

多重レイヤーのポリフォニー

ここで坂口の記述に戻るなら、「聞き流す」とは、相手の声を、その言葉の意味や内容にとらわれず、あたかもポリフォニックな音楽であるかのように聴くこと、とも言えるのではないか。一人なのにポリフォニーとは奇妙な表現だが、ここは、坂口が「体の動き」の大切さを述べていたことを思い出そう。人は声のみならず表情や仕草といった身体表現を用いて、おのれの「思考の巣」を開示しようとする。ODにおいても重視されるのは「沈黙を含む非言語的なメッセージに波長を合わせる」ことだ。ここには、しぐさや行動、息づかいや声のトーン、表情、会話のリズムなどが含まれる。セラピストにはそうしたメッセージへの高い感受性が求められるのだ。

そのように考えるなら、坂口の言う「思考の巣」そのものが、本来ポリフォニックなものである可能性が見えてくる。対話の空間とは、患者がみずからの妄想へのモノロジカルな固執から解放され、「現実さん」のポリフォニックな構造へと導かれていく場所なのではないだろうか。

そう、「現実」はポリフォニーだ。坂口はデビュー作である『0円ハウス』（リトルモア）以降、一貫してこの「現実」の多重性を主張してきた。路上生活者の視点に立てば、都市が豊かな「都市の幸」に満ちた狩猟フィールドになるように。あるいは彼の「独立国家」もまた、日本全国に点在する、法律上「誰のものでもない土地」を領土として成り立っている。現実とは常にすでに、いくつものレイヤーが重なり合った重層的空間なのだ。「実は」「本当は」といったメタレベルの介入は、こうした重層性を奪うモノローグという意味で、すでに妄想的なエレメントをはらんでいる。

実は、ODにおいてなぜポリフォニーが治療的な意義を持つのか、わかるようでわからなかった。坂口の一連の作品を触媒として、その本質の一端が垣間見えたように思う。しかし、ここから先の探求は、やはり私自身の臨床実践とともに進められるべきだろう。

ＡＩが決して人間を超えられない理由

ＡＩが人類を支配する？

「人工知能が人間の仕事を奪う」「人工知能が人類を支配する」、こんなタイトルの記事をこのところ、しばしば目にする。

出所の一つは「人工知能の世界的権威」である、レイ・カーツワイルが提案した「技術的特異点（シンギュラリティ）」なる概念であるらしい（『ポスト・ヒューマン誕生――コンピュータが人類の知性を超えるとき』日本放送出版協会）。本書でカーツワイルは、急速に進化するＩＴ技術の中で、二〇四五年には人工知能が人間の知能を上回ると予想している。これが「技術的特異点（シンギュラリティ）」である。

これ以外にも、人工知能による人類支配のシナリオを想定している知識人は少なくない。かのホーキング博士は「完全な人工知能を開発できたら、それは人類の終焉を意味するかもしれない」

「人工知能が自分の意志をもって自立し、そしてさらにこれまでにないような早さで能力を上げ自分自身を設計しなおすこともあり得る。ゆっくりとしか進化できない人間に勝ち目はない。いずれは人工知能に取って代わられるだろう」と語っている（The Huffinton Post 二〇一四年一二月四日）。

さて、私はエクセルのマクロも満足に使いこなせないコンピュータ素人の一人に過ぎないが、まず断言しておくが、「AIの人類支配」はありえない。それは知能の高い人がいだきがちな人工知能（以下「AI」）についてはいくつか言いたいことがある。

万能感の変形に過ぎない。カーツワイルは前掲書で、人工知能が発展すると最終的には宇宙全体がひとつの知性体となり、その全てが秩序となり、情報となることが「特異点と宇宙の双方にとっての最終的な宿命なのだ」と述べている。まるで「生物都市」や「エヴァンゲリオン」を連想させるような絶望的未来像だが、これはこれで興味深い。万物が合一する未来というイメージは、そのまま胎内回帰であり、万能感の辿りつくのは大体こういうイメージであるからだ。

残念ながら？　そう、残念ながら、カーツワイルの万能感が満たされることは決してないだろう。AIが人類を支配するほど高度化することは決してありえない。それはさまざまな領域に特化した、きわめて高い能力を発揮する補助ツールにはなりうるだろう。そのような意味において、AIには高い価値がある。しかし、人間型の総合的知性として、人間を凌駕する日は決して訪れない。以下にその理由を、順を追って説明する。

ＡＩの二つの選択肢

もしどうしてもＡＩに「人間型」の知性を近似させたいのであれば、そこには大まかに言って二つしか選択肢がない。

(1)「中国語の部屋」タイプの知能を構築する

哲学者ジョン・サールは、ＡＩ批判の意図をもって「中国語の部屋」なる思考実験を提唱した。小部屋の中に中国語が理解できない人が入っていて、ちいさな窓を通じて紙切れがやりとりされる。中の人は外から差し入れられた得体の知れない記号（漢字）の羅列を見て、手もとにある分厚いマニュアルにしたがって返事を書く。そのマニュアルには、どんな記号にどんな記号を付けくわえればいいかが完璧に記されている。それゆえ部屋の外の人からは、中の人が完璧に中国語を理解しているように思える。しかし実際には、中の人は自分がしている作業の意味をまったく理解していない。

この「中国語の部屋」は、情報処理装置が何らかの事物を表す符号化されたデータを処理する場所であることを指す比喩である。サールはこの例えによって、情報処理装置自体には意味を理解する能力がまったく無いとした。つまりサールは、チューリング・テストに合格するようなＡＩであっても、人間的な意味での意識を持たず、意味も理解できないと主張しようとしたのである。

(2)人間の脳と心をシミュレートする

強いＡＩ、すなわち「人工汎用知能」や「合成知能」を作成するには、こちらの方法もある。こちらの場合は、人間と同様に、意識や人格があり、意味を理解するＡＩが可能になることになる。

(1)はＡＩが意味を理解できない（理解している必要がない）ことを示唆するための思考実験であり、「中国語の部屋」そのものの可能性については必ずしも否定していない。しかし果たして、「意味」を介さずしてこうしたコミュニケーションが可能となるだろうか。例えば有史以来の全人類のコミュニケーションを記録したアーカイブを構築しうるとして、それを参照すれば(1)が完成できるだろうか。結論から言えば不可能である。やりとりには常に人間関係というコンテクストが伴い、コンテクストは実質的に「無限」である。私たちのコミュニケーションは、常に新たなコンテクストを生み出し続けるため、それをパターンとしてこの種のアーカイブに還元することはできない。よって(1)は成立しない。

(2)の困難について言えば、これを作成するためには、「意識」や「意味」の成立を科学的に解明しなければならないという点にある。要するに究極の人間知が完成しなければ、知性をシミュレートするアルゴリズムも作成できないことになる。

これに対する反対意見としては、脳そのものの構造を神経細胞単位でコピーすれば、作動原理を理解していなくても強いＡＩは実現できる、という考え方がある。この意見に対する私の反論は、「中枢」だけでは知性は成立しない、ということに尽きる。

脳の機能は末梢、すなわち身体からの刺激が入力されることで成立する。つまり、コピーするなら脳だけでは足りず、人間の身体全体を正確にコピーしなくてはならない。つまり、知性の謎は解明しなくても良いが、脳神経系の構造のみならず、中枢と末梢の関係までも完璧に再現する必要があるわけで、これはこれで難易度がきわめて高そうだ。控え目にみても不可能である。

そもそもＡＩの可能性は、脳や身体を持たないネットワークに人格や知性を持たせられるのではないか、というロマンが出発点だったはずだ。いったんその可能性が示唆されれば、あとはムーアの法則（コンピュータの性能は一八か月で二倍になる、云々）よろしく、技術の進化で人知をはるかに超えた知性を構築できるはず、という期待もあるだろう。

残念ながら、この願望は叶わない。なぜか。つまるところ、コンピュータには記憶と計算しか出来ないからだ。現時点でのＡＩは、将棋や囲碁といったゲームでは人知を超えつつある。それは、いずれもパターン記憶と統計計算によって勝てるゲームだからだ。この領域でＡＩが人知を圧倒するのはむしろ必然である。

「意味」とは何か

ＡＩに東大受験をさせる計画で知られる国立情報学研究所の新井紀子教授は、ＡＩに使えるのは論理と確率と統計だけであり、ＡＩは意味がわかっていない、と述べている。それゆえ意味を扱う英語や国語などの教科は、どうしても大学合格レベルに達することができず、東大受験計画はあえなく断念された。改善は進んでいるとはいえ、いまだに機械翻訳が実用レベルに達しないのも、このためである。並みの人間以上に正確な翻訳の中に、人間なら決して書かない（書けない）ような、無意味な文章が混在する。ＡＩにはその「無意味さ」もわからないので、自身で校閲することができないのだ。

この問題は、たとえば「フレーム問題」（ＡＩは文脈を理解できない）や「記号接地問題（シンボルグラウンディング）」（記号システム内のシンボルがどのようにして実世界の意味と結びつけられるかという問題。ＡＩはこれが苦手）などとも深く関係している。もちろん「意味」が適切に処理できない限り、ＡＩが人知を超えるなど夢のまた夢でしかない。

ならば、「意味」とは何だろうか。

いきなり精神科医には重すぎる疑問だが、私なりの回答はある。意味とは、ある刺激が別の刺激に結びついたときに生ずる認識のことだ。意味は「ＡとはＢのことである」という形式でしか記述できない。同様に「(意味が)わかる」とは、未知の刺激が既知の刺激に結びつくことで生じる認識である。

要するにAIには、人間には容易にわかる「A=B」を判断する能力がないのだ。具体的には「鳩=平和」とか「炎=情熱」とかがこれにあたる。断っておくが、これは決してパターン認識ではない。パターンには還元しようのない意味連関のネットワークで、これらの言葉はつながっている。

先述したように、鳩を平和のシンボル、ないし隠喩として支えているのは、私たちの身体性である。隠喩、すなわちメタファーは、身体を基盤とした「私たちの経験と理解(私たちが「世界をわがものとする」仕方)が整合的で意味あるものとして構造化される過程に寄与する」(ジョージ・レイコフ、マーク・ジョンソン『レトリックと人生』大修館書店)。どういうことだろうか。運動感覚的イメージ・スキーマ、すなわち私たちの知覚における相互作用、身体経験、そして認知操作の繰り返し登場する構造が、私たちにさまざまな経験の間の関係を理解させてくれるからだ。

ここから言いうることは、人間の「五感」に似たインターフェイスを持つ入力装置を用いて刺激をカテゴライズし、異質な刺激を隠喩的に結びつけるようなソフトウェアに処理させることが可能になれば、「意味」すなわち「身体性」の問題はクリアできるかもしれない、ということだ。その開発にどれほど「意味」があるかはわからない。はっきりしていることは、AIは「人知の超越」やら「人類支配」などに、何の「意味」も感じないであろうことだ。

神は自らに似せて人を作ったというが、人間は自らに似せたＡＩを作りたがる。そこにはおのれの鏡像に魅せられるナルシシズムと、神の真似事をしてみたい万能感が垣間見える。しかし繰り返すが、ＡＩの真価は、その類い希な記憶と計算力によって、人知を補完することまでだ。なにもＡＩが人間と同様の包括的な知性である必要はない。ピアノが弾ける五本指のロボットを作ろうとして苦労するくらいなら、鍵盤の数だけ指のあるロボット、すなわち自動ピアノで十分ではないか。

「生きてそこにいること」の価値

ともに危機を乗り越えて

愛猫チャンギと暮らすようになって今年で七年。最初に「猫を飼おう」と言い出したのは妻だった。たまたま僕のインタビュー記事が掲載された雑誌が猫特集号で、そこに紹介されていたシンガプーラの写真に妻の目が釘付けになったのだ。とはいえ「ペットショップで衝動買い」だけはするまいと決めていたので、ネットで北海道のブリーダーを探し出し、メールで連絡を取りあった。かくして、まだ肌寒い三月の夜、柏の猫カフェで初顔合わせと相成ったのである。シンガポール原産の妖精、というふれこみだったので、妻があの空港の名を取って「チャンギ」と名づけた。原産うんぬんはともかく、妖精なのは本当だった。

ブリーダーのしつけが良かったのか、トイレのそそうも爪研ぎ被害もない。おまけに人なつこくて遊び好き。なにしろ世界最小の品種で身が軽いのだ。ちょっと長く留守にして帰宅すると、はしゃいで家中を〝飛び〟回る。一人でパソコンに向かっていると、ヒモをくわえてやって来て、「遊んで?」とばかり見上げてくる。夜は一緒の布団で眠る。当時、仕事の都合で週末婚状態だったので、チャンギと遊べるのは土日だけ。気がつくと平日はチャンギのことばかり考えていた。かくして僕の〝猫属性〟は開花したのである。

実はこの当時、我が家はちょっとしたピンチだった。息子が大学に入学して都内で一人暮らしを始め、僕は僕で週末しか帰れない。つまり、平日は妻が自宅に一人きりということになる。おまけに一六年間飼っていたクララ(犬)が老衰で余命幾ばくもない状態。そんなおりに我が家に降臨したチャンギは、妻の孤独を癒やしてくれる小さな妖精なのだった。二人きりの時期が長かったせいか、妻とチャンギは母と娘のように仲良しだ。僕はしばらく「たまにやって来て遊んでくれるおじさん」の位置だったが、同居しはじめてようやく、チャンギの本当の家族になれたように思う。

チャンギがやって来てからちょうど二年後の「3・11」、水戸の我が家も被災した。あの日、われわれは二人とも仕事先から帰れず、チャンギの安否に気をもんでいた。先に帰った妻が懸命にその名を呼ぶと、サッシが外れ寒風が吹き込む我が家の片隅から鳴き声が。チャンギはどこにも逃げずに、僕たちの帰宅を待っていたのだ。こうして危機を乗り越えるたびに、僕たちとチャンギの絆は確実に深まったのである。

賢いチャンギは対人関係を使い分ける。妻はもちろん「お母さん」。シニアの年齢に達した今も、毎日抱っこをせがんで甘える。僕はお父さん、と言いたいところだが、どうやら遊び相手の「お兄さん」くらいの認識のようだ。息子に至っては自分の目下、「弟」くらいの認識である。

僕の研究室はひきこもりの他に虐待や依存症も研究している。そんな立場なのでおおっぴらには言えないのだが、僕にはひとつだけ依存しているものがある。アレを定期的に吸引しないと生活できない。アレがキレるとイライラしてくる。アレなしの生活はもう考えられない。その危険なアレとは何か。そう、猫である。

ひきこもり猫の愛おしさ

うちのチャンギは、たいへんな人みしりである。来客の気配を察するや、たちまちリビングから逃げ出して、クローゼットにかくれてしまう。だから、彼女を他人に見せたい時は、あらかじめケージに入れておくしかない。それはそれでかなりのストレスだろうから、これまでチャンギに拝謁かなった来客はごく少数である。

はじめからこんなに臆病だったわけではない。子猫の頃は、来客があると物珍しげにのぞきに来るようなこともあった。怯えるようになったのには、きっかけがある。あれはチャンギが我が家に来て二年目の夏。拙宅のリビングに、シーリングファンの取り付け工事をした時のことだ。やってきた業者はかなりの巨漢で、それが恐ろしかったのかもしれない。あるいは上空で回転する大きなファンの羽が元凶だったか。はるかな昔、上空から襲いくるワシやタカなどの猛禽類におびえていた頃の、祖先の記憶が呼び覚まされたのかもしれない。

ともかく彼女はパニックとなって、まるでマンガのように手足をばたばた回転させながら、その場から逃げ出した。探してみると、手の届かないタンスのかげにひきこもってふるえている。

僕は一応、ひきこもりを専門とする精神科医だ。猫のカウンセリングは習わなかったが、持てる技術を総動員してチャンギに寄りそった。優しく呼びかけ、オモチャで釣り、一時間あまり心理療法的アプローチを続けた結果、彼女はようやくタンスの隅から姿を現した。翌朝にはごはんも食べるようになった。あのときは心底ホッとしたものだ。

この「事件」がトラウマとなって、チャンギは来客に怯えるようになったのだ。

あるときドイツ人の声楽家が、妻のピアノ伴奏で、我が家でリハーサルを行った。チャンギはいつものように姿を消していた。その夜は二時間あまり、小さなリビングにプロの歌声が朗々と響きわたった。リハーサル後に妻がチャンギを探してみると、なんと歌手のちょうど足もと近くのカーテンにかくれてふるえていた。完全に逃げ遅れたのだ。ソプラノの美声も彼女にとっては雷鳴のようにとどろいたことだろう。そのときの彼女の恐怖を思うと……申し訳ないが笑ってしまう。

ひきこもりの定義は、半年間以上、社会とつながりを持たないことだ。七年もの間、ネコ社会とも人社会ともつながりを持たずに生きてきた家猫・チャンギは、言わばひきこもり猫である。

人間の子ならばひきこもりでは困るのだが、彼女のひきこもりはひどく愛おしい。誰にもなつかず、僕たち家族にだけ心を許す猫。そう、チャンギは僕たちに、ひきこもりの持つプラスの価値を初めて教えてくれたのだ。

猫はかすがい

今年七歳になるチャンギは、まだ病気らしい病気をしたことがない。病院のお世話になったのは、不妊手術のときと、ワクチン接種のときの二回だけだ。ワクチンを打っていただいた獣医さんは、チャンギの健康診断もしてくれたのだが、「心音に雑音があるから心筋症かもしれない」と言われた。もしそうなら寿命も短くなるらしい。せめて二〇年は一緒に暮らして、チャンギと一緒に還暦を迎えるつもりだった僕たちは、この告知にしばし落ち込んだものだった。

あれから六年、シニアと呼ばれる年齢をむかえたチャンギは、子猫の頃とおなじくらい元気いっぱいである。心筋症はどうやら誤診だったのだろう。さすがにジャンプ力は少し衰えたが、相変わらず遊ぶことが大好きだ。朝、僕が顔を洗って着替えていると、布団の上に座ってこちらを見上げ、「まだ?」とばかりに待機している。ちょうど頬の当たりの体毛が濃い色のため、頬を紅潮させているようにもみえる。

出勤前の忙しい時間帯なのだが、そこまで期待されてスルーするわけにもいかず、ひとしきり遊んでやる。最近のお気に入りは、釣り竿に鳥の羽がぶらさがっているオモチャだ。振り回すと、本当に鳥が飛んでいるような羽音がする。チャンギは真剣そのもの、夢中になって追い回す。つかまえそこねると、照れ隠しのように毛づくろいをはじめてごまかそうとするところがまた可愛い。

実は布団の上で遊ぶことは、妻に禁止されている。布団が痛むからだ。チャンギは夢中で遊んでいるようにみえて、妻の気配がするとそちらの様子をチラチラと横目でうかがっているのがわかる。じゃあ妻を恐れているのかと言えば、そんなことはない。

ほとんど遊び相手をしてくれない妻には、それこそ犬のようにまとわりつく。たまに踏まれたりしながらも足もとにじゃれついたり、不意に背中に飛びついてきて抱っこをせがんだり。ソファでくつろいでいる時、妻の膝はチャンギの特等席だ。僕はあくまで遊び仲間で、くつろぎ要員とはみなされていないので、抱き上げてもすぐ逃げられてしまう。

最近やっと気づいたのだが、どうやらチャンギは僕たちの「関係」を見ているようなのだ。僕たちが談笑していれば近寄ってくるし、口論していると姿を消してしまう。布団で遊んでいるとき妻の様子をうかがうのは、自分よりも僕が叱られるのを警戒しているらしい。甘えたいとき椅子をひっかくクセがあるのだが、叱ってもやめないのは僕たちが笑っているせいだろう。

子どもが巣立った後の僕たちにとって、チャンギはまさに「かすがい」である。チャンギとともに平和な老いを迎えるためにも、せめて夫婦関係のメンテナンスは大切にしておこうと思うのだ。

猫好きは度しがたい

僕は喫煙しないし、酒についてもとんと不調法な人間だ。むろんゲームもギャンブルもやらない。いわゆる依存症とは縁のない人間と思っていた。しかし、一匹の猫がそんな清らかな僕の生活を変えてしまった。そう、チャンギの存在である。

いまや僕は「猫吸引」の常習者だ。チャンギを抱き上げてそのお腹や肩口に顔を埋め、深呼吸をする。これをやらないと原稿が書けない体なのだ。ご存じの通り猫には体臭がほとんどない。日中は日向ぼっこをしている彼女のお腹や肩口はお日様の匂いがする。手入れができない頭はちょっと臭いことがある。肉球はなぜか香ばしい。こんなことを全国紙のコラムに平然と書ける人間はちょっとどうかと思うのだが、依存症とはそういうものだ。

この行為にはまってから、猫にも「迷惑顔」があることを知った。吸われているときのチャンギの顔がそれだと妻から教わったのだ。僕もいちおう精神科医なので、動物虐待になったら立つ瀬がない。そこで「迷惑」が「苦痛」にならない程度に、吸引回数をおさえることにした。

しかし、おかしいのは僕だけではない。チャンギが新聞や雑誌から取材を受けるようになって、いつもはクールな妻が少しおかしい。先日の取材でも、撮影中に妻が奇声を上げて踊り出した。

何事かと思いきや、なかなかカメラに目線をくれないチャンギの注意を引こうと奇行に走ったらしい。猫自慢もここまでこじらせれば立派なものである。でも、その甲斐あって良い写真がとれたし、妻の母からは「猫の大スターだねえ」などと昭和っぽい褒め言葉をいただいたりもした。

猫は人を狂わせる。女の子なのでひな祭り用に陶器のひな人形セットを買った。チャンギが家に来てはじめの三年間は、毎年ベストショットを一二枚選んで、カレンダーを作っていた。我が家の年賀状はこの七年間、干支とチャンギの組み合わせばかりである。おかげで画像ソフトの腕前がめっきり向上した。彼女に抱きつかれて爪で穴の空いたシャツは、寝室のチャンギ博物館に所蔵してある。

僕たちがチャンギから学んだことは、「生きて存在していること」の持つ価値である。家事も仕事もしない彼女は、ただそこにいるだけだ。でもそのことが、こんなにも素晴らしい。人も猫も、あらゆる価値の源泉は「生きてそこにいること」からはじまるという真理を、一匹の小さな猫が教えてくれたのだ。

そんな殊勝なことを考えつつも、いつか猫エッセイ集を出すなら、タイトルは「チャンギやめなさい」か「チャンギいけません」のどっちにしようかなどと夢想しているのだから、やっぱり猫好きは度しがたい。

欠如ゆえの愛

猫は忘れない

我が家には七年前から一頭のシンガプーラ（チャンギという）が棲みついている。まあ正確には飼っているわけだが、息子が就職して自活した今、家人と私と猫のチャンギは、ほぼ同格の同居人と称して差し支えあるまい。それぞれがそれぞれの役割を自覚し、応分にそれを果たす限りにおいて。

彼女のおかげで、いまや私はすっかり「猫好き文筆家」の箱に入れられてしまった。たまの休日には取材が入って、自宅で写真撮影に応じることがある。チャンギが有名になるのは結構だが、これがかなりの難事業なのだ。チャンギは人見知りが激しいため、何時間か前からケージに入れて来客の雰囲気に慣れてもらわないといけない。それでも油断しているとケージの扉を開けた瞬間、ゴム紐でもついていたかのような勢いで飛び出し、一目散にクロークに逃げ込んでしまう。

もっとも、最初からそうだったわけではない。そうなったのには、きっかけがある。あれは数年前のこと、拙宅のリビングをちょっとコロニアル風にしようと思い立ち、シーリングファンを取り付けた。この作業がどういうわけか、彼女を極端におびえさせたのだ。

やってきた取り付け業者はかなりの巨漢で、それが恐ろしかったのかもしれない。あるいは上空で回転するファンの羽が、上空から襲い来る猛禽類の本能的記憶を呼び覚ましたのか。ともかく彼女はその場から漫画のように足を回転させて逃げ出し、タンスのかげにひきこもって何時間も出てこなかった。

猫は忘れっぽいという人もいるがとんでもない。猫は強いストレス体験を決して忘れない。私が聞いたとあるケースでも、飼い主が善意から施したある処置があだになって、愛猫が家から飛び出してしまい、庭に出たきり家に入ってこなくなったという話がある。

閑話休題、そういう臆病猫を撮影するのがいかに大変か。とにかく撮影中は逃げ出さないようにしっかりと抱きかかえて、なんとか愛猫家を演じなくてはならない。できあがった写真は大抵、だらしなくにやけた私の顔と、目を丸くして怯えきった猫のコントラストになる。それはそうだろう、力尽くで押さえ込まれて、得体の知れない機械の前でじっとしていなければならないのだ。こっちとしても動物虐待をしているようでいい気はしないのだが、これも仕事の一環である。

猫とは目が合わない

さて、無駄な努力の甲斐あって、なんとか愛猫家枠に参入できた私だが、つい最近も猫に関する取材を受けた。あいにくチャンギの件ではなかった。ペット業界で猫人気がついに犬人気を上回る見通しとなり、その件について精神科医としてどう思うのかという、割とどうでもいいテーマだ。

くだんの記事は二〇一五年一〇月二六日付『朝日新聞』ウェブ版に掲載された。タイトルには「猫が犬を逆転か？　ペット数見通し　散歩不要など背景に」とある。業界団体「一般社団法人ペットフード協会」の全国調査で、昨年の調査では、全国で飼育されている犬は一〇三五万匹、猫は九九六万匹だった。

しかし、過去五年間の推移を見ると、犬は一二・八パーセント減少する一方、猫は二・六パーセント増えているという。このペースが続けば、猫の数が初めて犬を抜くと予測されている。背景にあるのは飼い主の高齢化だ。九〇年代後半の小型犬ブーム時に飼い始めた犬が寿命を迎えつつあり、飼い主も高齢化して、新たに犬を飼う動きは減少傾向であるという。

個人的にはこの動きは歓迎である。犬より猫が人気がある、からではない。日本では年間三〇万頭の犬と猫が殺処分されている。飼い主が飼えなくなって放棄してしまうのもその一因だが、それを助長するのがペットショップの存在である。そもそも先進国でこれだけ店頭での生体販売が盛んなのは日本だけなのだが、これが店頭で「目が合った」云々の衝動買いを誘発しやすい。

初モノ好きだからと言うわけでもあるまいが、ろくにしつけもできていない子犬や子猫を衝動買いして、結局扱いかねて捨てるケースも多いと聞く。おまけに店頭で〝賞味期限〟の過ぎたペットはそのまま処分されるというのだから、そろそろ販売方法を根本から見直すべきなのだ。ちなみにうちのチャンギはブリーダーから直接購入した。健康チェックも万全だしトイレのしつけもできていたし、なぜみんなブリーダーを介さないのか不思議でならない。

もう一つ追記するなら、飼い猫が生態系に及ぼす悪影響については、どのくらい認識されているだろうか。二〇一五年にオーストラリアの環境大臣は、野良猫が「三五種の鳥類、三六種の哺乳類、七種の爬虫類、三種の両生類の存在を脅かす存在」であるとして、今後五年間で二〇〇万頭を殺処分する計画を発表した。そう、地域猫をめぐる近隣トラブルがどうとかいうのどかな話ではない。猫を飼うなら屋内に限定すべきだし、外で運動させたければハーネスは必須だ。うちのチャンギはそもそも屋外を怖がって連れ出しても肩にしがみついて怯えるだけなので、とりあえず小鳥たちのプレデターにはならずに済んでいる。

閑話休題、ペットショップの話だった。「目が合った」系のエピソードは、どうも犬のほうに偏っている印象がある。ここからの連想だが、犬との出会いは飼い主にとって宿命的なナラティブをもたらしやすいのではないか。飼い主の自分語りを補強してくれるパートナーというニュアンスは、犬のほうが強い印象がある。

マイルドヤンキーと言えばトイプードルかミニチュアダックスかという定番があるわけだが、ことのほか「絆のナラティブ」を好む彼らが、タテ社会の秩序に忠実な犬を選択しがちなのは良くわかる。休日の公園やドッグランが犬よりも人の社交場になりがちなのは、犬が恰好のコミュニケーションツールでもあるためだろう。かくいう私は犬も好きだ。ただ、もし世界に猫が存在しなかったら、私の犬への愛は今の半分になってしまうだろう。

ネットには猫しかいない

それでは、近年の人気はどのように解釈されるべきだろうか。やはり無視できないのは、ネット上の人気ぶりである。冒頭に紹介した記事で、精神科医の斎藤環さん（笑）は、「人への忠誠心が高く行動のわかりやすい犬に比べ、猫は謎めいて予測不能な面白さがある。動画などインターネットでの発信になじみやすく、ネット住民の盛り上がりが現実世界に波及している。一過性のブームでは終わらないだろう」などと、猫贔屓も甚だしいコメントを述べているわけだが、本当はこの一〇倍は喋っているのに記者の判断で大幅に編集されたことに無念さをにじませていた。

よってここでは、記事にはおさまりきらなかった私の分析を、存分に開陳しておこうと考えた次第である。

二〇一四年、Google は Deep Learning によって認識・出力された猫の図像を公表した。ネット上の猫画像を一〇〇〇万枚以上読み込ませ、そこから猫のイメージを学習させたのである。これが可能になったということは、今後この人工知能は、任意の猫画像をみて高い確率で「猫」と認識できるということになる。これは見方を変えると、人工知能が「コンテクスト」もしくはそれに準ずるものを理解しはじめた可能性を示唆しており、その成果は確かに画期的なものだった。ただし、ここで私が言いたいのは、人工知能すげえ、という話ではない。「なぜ猫だったのか」という点だ。

理由の一つは間違いなく、ネット上に猫画像が溢れているためだろう。一説にはインターネットのトラフィックの一五パーセントは猫についてのものであり、単語の検索数でも犬を遥かに凌駕する。二〇一〇年の時点で約一三億枚あったネット上の猫写真は、二〇一五年にはその五倍、すなわち六五億枚に到達している可能性があるという。

ネット上の流行ネタを「ミーム」と呼ぶが、猫ミームは犬ミームを質・量ともに遥かに凌駕する。また猫ミームのネタとして有名な"Grumpy Cat"や"Lil Bub"といった猫セレブも存在する。とりわけグランピーキャットの人気は関連書籍やテレビ番組、コーヒー飲料「グランペチーノ」などの売り上げにも及び、飼い主のタバサ・バンデセン氏は仕事を辞めた。画像にユーモラスな一言を添えた"Image Macro"（日本で言えば"bokete"に当たるだろうか）でも、猫人気は圧倒的だ。もちろん日本猫も負けていない。箱が好きなスコティッシュフォールドのタレント猫「まる」のYouTube動画は二億回以上も再生されている。

飼育数では大差ない犬と比べ、なぜネット上で猫はこれほど愛されるのか。現時点では次のような分析が代表的なものである。

まずは〝ベタ〟な理由から。猫は散歩に連れ出せない。だから犬友のように猫友はつくれない。飼っている猫の自慢をしたければ、SNSやブログに写真を掲載するしかない。些細なようでいて、けっこうこの点は重要だ。確かに、ネットがなかったら、ほかの家で飼われている猫を目撃する機会は激減するだろう。

猫という動物の性質にそれを求める意見もある。古代エジプトでは神としてあがめられ、さまざまな国で七回生まれ変わるとかいや九回だとか、色々オカルト的な扱いを受けている。日本でも化け猫になったり招き猫になったりと、なんらかの神秘性を猫にみる傾向がはなはだしい。犬には少ないこうした神秘性ゆえか、猫はしばしば女性に例えられてきた。萌え対象として「二次元に対抗できる唯一の三次元」などと言われるのもこのゆえだろう。

その一方で、猫の性質とネットユーザーの共通点を指摘する声もある。風変わりな執着心や奇妙な好奇心を持ち、社交性が乏しくひきこもりがち。誰のこととは言わないが今PCに向かってこれを書いているお前がそうだと言われれば返す言葉もない。ともあれ、こうした親和性ゆえに猫はネットの中心にいるというのだ。

もちろん、この種の議論に単一の正解を求めるのは間違っている。これまで提出されている仮説は、いずれもそれなりに信憑性が高く、どれも部分的には正しいだろう。

猫の身体に意味はない

しかし私としては、まだ語られていない重大な点がいくつかあるように思われてならない。これから、それらについて述べてみよう。

第一点目は何と言っても「猫の身体性」である。

犬ないし他のペットと比較した場合、猫に対する注目度は、その読みづらい性格よりも圧倒的にその身体性に向かっているように思われる。それは犬の吸引者がほとんど存在しないのに比べ、猫の常習吸引者は、私をはじめこの世界に無数に存在するという事実からもうかがえる。

この、猫には必ずしも歓迎されない吸引行為に対する執着は、具体的には記さないものの、女性身体ないしその付属物に対するフェティッシュな執着に限りなく近い。この点に関して私は、いわゆる「モフる」対象が女性の乳房のメタフォリカルな代替物にほかならないとする仮説を有しているが、ここでは深く立ち入らない。

意図のはっきりした犬の行動に比べ、猫の身体は圧倒的な「無意味性」を帯びている。なぜそこで直立するのか、なぜ舌をしまいわすれるのか、なぜ自分の尻尾に蹴りを入れるのか、なぜ片足だけ挙上したままフリーズするのか、なぜ高いところから人を見下ろしたがるのか、さまざまな解釈はあれど正解はない。そもそもなぜ猫はゴロゴロ言うのかという有史以来の疑問にすら未だ正解は与えられていない。いや、それればかりか、ゴロゴロ音が解剖学的／生理学的にどのように発生するのかについてすら未解明というのだから驚くではないか。ことほどさように、猫の身体は謎めいた場所なのである。

私はかつて、猫の女性性について、その表層と深層の対立構造にヒステリー（＝女性性）との構造的親和性を指摘したことがある（拙著『猫はなぜ二次元に対抗できる唯一の三次元なのか』青土社）。その論点について変更はないが、一点追加するならば、猫の身体の「変形可能性」を指摘しておきたい。

上述したような「身体性の謎」は、謎であるがゆえにさまざまな感情移入や解釈を誘発せずにはおかない。bokete のネタになりやすいのもそれゆえだろう。手っ取り早くその傾向を確認したければ、猫ベースのキャラを思い浮かべてみればいい。言わずと知れた「ドラえもん」から「ジバニャン」、巨大掲示板で一世を風靡した「モナー」や「ギコ猫」、なぜかサンリオから公式に猫であることを否定された「ハローキティ」など、猫は最もキャラ化されやすい動物である。

キャラと言えば「ゆるキャラ」だが、犬をベースとしたゆるキャラに比べ、猫ベースのキャラは圧倒的に多い。最も有名なのは「ひこにゃん」だろうが、武将系に限定しても「独眼竜ねこまさむね」、「ゆきたん（さニャだ幸村）」、「さばにゃん（福井）」、「しまさこにゃん（石田三成の家臣島左近のキャラ）」などがいる。

キャラ化されやすい最大の理由は、感情移入のしやすさだろう。しかし、それだけでは不十分だ。「人格」の自律性も大いにあずかっている。人に従属する犬に比べ、猫の従属度は比較的低い。行動原理に謎が多いことも、独立独歩の印象を強化する。しかしそれ以上に重要なのは、身体の変形可能性である。

身近な動物である猫の身体は犬と同等かそれ以上に記号化されている。とりわけ耳、眼、鼻、口などのアイテムは「猫耳」がそうであるように、場合によっては単独でも「猫」を指示する記号たり得る。ということは、この記号さえ適切に配置すれば、身体をどのように加工しても「猫」の同一性は破壊されないということになる。事実、猫ベースのキャラはそのようにして作られている。高知のゆるキャラ「カツオにゃんこ」は、その名の通りカツオの身体を付与された猫だが、それでも猫性の方が圧倒的に強い。

変形によってキャラ化を被るもの、という存在として、猫と美少女はほとんど同格である。二次元美少女もまた、変身や武装、擬人化などを経ることでキャラ化される。萌えが先かキャラが先かはなかなかむずかしい問題だが、先に引用した「二次元に対抗できる唯一の三次元」たる理由のひとつは明らかにこの「変形可能性」にあるだろう。

ただしここで、こうした変形において、もう一つの重要なルールがあることに注意をうながしておこう。

それは「欠如」である。猫をキャラ化するうえで「欠如」が鍵を握っているということ。早い話が、ドラえもんには「耳」がない。ハローキティには「表情」がない。ジバニャンに至っては

「実体」すらない（トラックに轢かれて死んだ猫の地縛霊という設定）。輪郭以外は色々と足りない「モナー」や「ギコ猫」についてはかいわんやである。

これはリアル猫についても同様だ。ネット人気No．1の「Grumpy Cat」の無愛想な表情は、小人症（小猫症？）によるとされる。同様にネットで高い人気を誇る「Lil Bub」の魅力も、奇形によるものだ。彼女は子猫サイズのまま一生成長できず、手足も短いままだ。常に舌をのぞかせる愛くるしい顔も、下顎形成不全が原因である。

ここからすぐに日本でのブサカワ猫やアゴの外れた猫の図像が連想されるだろう。欠如こそが猫の可愛さの決定的要素であるとみなすことによって、色々と見えてくるものがある。

簡単に言えば、犬と猫の魅力の違いは、ディズニーキャラとサンリオキャラの違いに似ている。前者は人間の隠喩であり、後者は人間の換喩である。ここで隠喩とは、ある対象の特徴をほぼそのままの形で縮減することでもたらされる記号を指している。いっぽう換喩とは、ある対象の特徴を必ずしも十全に兼ね備えてはいないが、部分的な類似性や隣接性などによってその対象を指し示す記号のことである。

犬の隠喩性は、その行動原理のわかりやすさや表情や表出の豊かさによって担保されている。いっぽう猫については、謎めいた行動原理や表情の読みにくさゆえのわかりにくさがあるが、犬以上に擬人化されやすい。これが猫の換喩性であり、換喩はまさにキャラを特徴付ける本質の一つなのだ（拙著『キャラクター精神分析』ちくま文庫）。私はかねてから、赤ん坊や猫、あるいはサンリオキャラの可愛らしさを「言葉が通じないため」と提唱しているが（前掲書）、わかるようでわかりあえない、これこそが猫の可愛さの中心にあると考えている。

ここに至って、私はようやく気づいた。わがチャンギへの愛は、彼女の「自閉性」によるのだということを。妻と私以外には心を開かず、外界にすらおびえて家にひきこもるチャンギ。人間の子なら心配すべき欠如が、人間の換喩である猫においてはことごとく愛すべき要素に変換されるということ。それをファルスと呼ぶかどうかはともかく、欠如こそが愛であると気づかされることこそは、愛猫家のみが享受しうる幸福でなければなんだろうか。

あとがき

本書には、主としてこの数年間に雑誌『ユリイカ』や『美術手帖』、あるいは文芸誌などに書いてきた批評文が収録されている。ただし「Aフラットの不在」だけは、二〇〇五年に『朝日新聞』に掲載された文章で、ひときわ古い。あえて本書に収めたのは、短文とはいえ思い入れのあったことと、二〇一八年に公開された映画『ボヘミアン・ラプソディ』の影響で、ひさびさに到来したクイーン・ブームに便乗したかった、ということもある。ちなみにあの映画は四回観た。たいへん素晴らしかった。

それぞれの文章につながりはないのでどこから読んでいただいても構わない。私がいつも心がけていることは、批評文を論文のように書くこと。つまり、必ず「新しい知見」ないし「新しいアイディア」を一つ以上は盛り込むことだ。長短様々な文章が収められてはいるが、この原則は一貫して守られていると思う。

たとえば「入れ子問題、あるいは新しい『ことばの社会』」においては、川上未映子の試みが反出生主義を媒介として「女性的統辞」の端緒にゆきついたこと。「飲み干せ、そのミルクシェイクを」では、映画『ゼア・ウィル・ビー・ブラッド』のクライマックスにおいて露呈する、主人公の特異な欲望の形式。「『神の身体』としての少女」においては、バルテュスが少女身体を一種のエピファニーとして描くことの構造的必然性について、などなど。いつものように「全曲解説」をする余裕はないが、それぞれの文章に私が仕込んだアイディアをみつけるつもりで楽しんでいただければうれしい。

本書のタイトルに含まれる言葉、「猫隅（ねこすみ）」の由来となった愛猫チャンギについては「まえがき」でじっくり書いたので、ここではもう繰り返さない。もう一つの由来である片渕須直監督の映画『この世界の片隅に』について特筆すべきは、二〇一九年一二月に「白木リン」のパートなどが追加された長尺版の〝新作〟、『この世界の（さらにいくつもの）片隅に』が公開されたことだ。試写回の段階で驚愕したのは、追加シーンの効果によって作品の与える印象が格段に深まったことだった。

ディレクターズカット、つまり未公開パートの追加ではなくて、〝新作〟用に全く新たなシーンを撮り直すこと。俳優を使った実写作品ではまず不可能であろうこの作業によって、ほとんど「別作品」がもたらされたこと。ここにもアニメという手法の新しい可能性を観る思いがする。

とりわけ興味深かったのは、長尺版においてすずさんと周作との関係、あるいは水原との関係など、人間関係への理解が格段に深まると同時に、「謎」も深まった点である。まさに表題通り、長尺版においては「さらにいくつもの片隅」（＝謎）がもたらされたのだ。そして本作が、無数の片隅たちの集積において、すずさんの「主体」が立ち上がる話と考えるなら、やはり本書のタイトルはこれしかなかったと思えるのである。

本書の企画は、青土社の編集者である足立朋也さんが立ててくれた。収める文章の選択から章立てまで、ほとんど足立さんの提案をそのまま使わせてもらった。この奇妙なタイトルが編集会議を通過したのも、彼の頑張りのおかげである。ここに記して感謝します。

表紙の作品は、本書の「技法は『少女身体』に奉仕する」でも触れたアーティスト、高松和樹さんの作品「猫ガ持ツ情報ヲ得ル／改」である。また装幀はいつもお世話になっているミルキィ・イソベさんにお願いした。お二人にも深甚なる感謝を。

斎藤 環

初出一覧

書籍化に当たり加筆修正しました。

I　現代文学

▼石原慎太郎と私（『ユリイカ』二〇一六年五月号）
▲潜在する「路地」のトポス（『別冊太陽 中上健次』平凡社、二〇一二年）
▼豊穣なる「ヤンキー文学」（『中上健次集 二』インスクリプト、二〇一八年）
▲入れ子問題、あるいは新しい「ことばの社会」（『文藝別冊 川上未映子』河出書房新社、二〇一九年）
▼彼女と異性愛主義の闘いにおいては「発達障害」に支援せよ（村田沙耶香『消滅世界』河出文庫、二〇一八年）
▲二人であることの病い？（『新潮』二〇一五年一一月号）
▼「純粋物語」の誘惑（『文學界』二〇一九年一〇月号）

II　映像・アニメ・音楽

▲「世界観のモンタージュ」としてのキャラクター（『現代思想』二〇一八年三月臨時増刊号）
▼すべては「すずさんの存在」に奉仕する（『美術手帖』二〇一七年二月号）
▲外傷の器としての…（『ユリイカ』二〇一六年一二月臨時増刊号）
▼大きな幻想の力（『熱風』二〇一四年八月号）
▲欲望の倫理、またはセクシュアリティ（『ユリイカ』二〇一四年一〇月号）
▼飲み干せ、そのミルクシェイクを（『ユリイカ』二〇一五年五月号）
▲Aフラットの不在（『朝日新聞』二〇〇五年六月一六日朝刊）
▼「音楽の無意識」へ（『ユリイカ』二〇一六年一月臨時増刊号）

Ⅲ　アートシーン

▲身体観光冒険課（『ユリイカ』二〇一二年一月臨時増刊号）
▼ジェンダーとアートの新しい回路（『美術手帖』二〇一二年二月号）
▲キャラと鎮魂（『美術手帖』二〇一六年一月号）
▼技法は「少女身体」に奉仕する（『高松和樹画集 私達ガ自由ニ生キル為ニ』芸術新聞社、二〇一九年）
▲ネオプラトニズムの小さな神々（『美術手帖』二〇一二年一一月号）
▼「神の身体」としての少女（『美術手帖』二〇一四年五月号）
▲パラノイアに憧れる神経症者（『芸術新潮』二〇一六年一〇月号）
▼「英雄」と「人間」のあいだ（『芸術新潮』二〇一八年一月号）

Ⅳ　生活／文化

▲ポリフォニーを〝聞き流す〟（『ユリイカ』二〇一六年一月臨時増刊号）
▼ＡＩが決して人間を超えられない理由（『世界思想』二〇一七年春号）
▲「生きてそこにいること」の価値（『読売新聞』二〇一六年四月四日・一一日・一八日・二五日夕刊）
▼欠如ゆえの愛（『現代思想』二〇一六年三月臨時増刊号）

斎藤 環（さいとう・たまき）

1961年岩手県生まれ。精神科医。筑波大学大学院医学研究科博士課程修了。医学博士。爽風会佐々木病院診療部長を経て、現在、筑波大学社会精神保健学教授。専門は思春期・青年期の精神病理学、病跡学、ラカン派精神分析学。「ひきこもり」問題の第一人者として臨床研究を行っている。また、マンガやアニメ、映画などのサブカルチャー批評家としても知られる。『関係の化学としての文学』(新潮社)で日本病跡学会賞を、『世界が土曜の夜の夢なら』（角川書店）で角川財団学芸賞を受賞。その他の主な著書に『猫はなぜ二次元に対抗できる唯一の三次元なのか』(青土社)、『生き延びるためのラカン』（ちくま文庫)、『中高年ひきこもり』（幻冬舎新書）などがある。

愛猫チャンギ

その世界の猫隅に

2020年4月 1 日　第1刷印刷
2020年4月10日　第1刷発行

著　者　斎藤 環

発行者　清水一人
発行所　青土社
〒101-0051　東京都千代田区神田神保町1-29　市瀬ビル
電話　03-3291-9831（編集部）　03-3294-7829（営業部）
振替　00190-7-192955

印　刷　ディグ
製　本　ディグ

装　幀　ミルキィ・イソベ
装　画　高松和樹「猫ガ持ツ情報ヲ得ル／改」

ISBN978-4-7917-7256-8　C0011
Printed in Japan